무림오적 34

초판 1쇄 발행 2021년 9월 29일

지은이 ㅣ 백야
발행인 ㅣ 신현호
편집장 ㅣ 이호준
편집부 ㅣ 송영규 최종건 정재웅 양동훈 곽원호 조정범 강준석 최성화
편집디자인 ㅣ 한방울
영업 · 관리 ㅣ 김민원 조인희

펴낸곳 ㅣ ㈜디앤씨미디어
등록 ㅣ 2002년 4월 25일 제20-260호
주소 ㅣ 서울시 구로구 디지털로 26길 111 JnK디지털타워 503호
전화 ㅣ 02-333-2513(대표)
팩시밀리 ㅣ 02-333-2514
E-mail ㅣ papy_dnc@dncmedia.co.kr

값 8,000원

ⓒ 백야, 2021

ISBN 978-89-267-1882-7 04810
ISBN 978-89-267-3458-2 (SET)

백야 신무협 장편소설

PAPYRUS ORIENTAL FANTASY

34

무림오적

武林五賊

PAPYRUS
파피루스

1장.
어른의 사랑

진심이 담긴 사랑이라는 건 확실히 어른이 할 게 아닌 사랑이었으니까.
개인의 욕심이나 이익, 주변 상황이나 혹은 필요에 의해서,
혹은 자신의 목적에 부합되는 경우에만 사랑을 하는 게
이른바 '어른의 사랑'이었으니까.

1. 싫은데요

강만리가 허 노야에게서 연락을 받은 건 공교롭게도 담우천과 나찰염요가 화평장을 떠난 다음 날이었다.

"이것 참, 안 가기도 뭐하고."

강만리가 머리를 긁적이며 투덜거리자, 조용히 차를 마시던 정유가 미소 지으며 말했다.

"가서 무슨 이야기를 하는지 들어는 봐야겠죠."

"뭔 이야기를 하려는지는 대충 알겠거든. 그래서 더 가기 싫은 거야."

"그럼 더 잘됐네요. 미리 대응도 완벽하게 할 수 있잖습니까?"

"그게 문제라니까. 뭔 이야기를 할 줄 알겠는데 거기에 대한 마땅한 대응책이 별로 없거든. 그냥 도살장에 끌려가는 소처럼 따라갈 수밖에 없어."

"흠, 그건 조금 고약하네요. 누구보다도 다른 사람의 뜻과 의지에 따라 움직이는 걸 싫어하는 형님이시니까 말입니다."

"그래서 더 짜증이 나고 화가 나는 거야. 어떻게 가지 않을 수 없으려나?"

"그건 허 노야와 척을 지기 가장 좋은 방법이겠네요."

"그렇겠지? 뭐, 가까이 지내기는 싫지만 그렇다고 이 상황에서 적으로 돌릴 수도 없으니까."

"그럼 괜히 제게 하소연하지 마시고 얼른 자리에서 일어나 그를 만나러 가시라고요."

"젠장. 누가 그걸 모르나?"

강만리는 엉덩이를 긁적거리다가 불쑥 화제를 돌렸다.

"참, 고굉은?"

"아, 재밌게 되었더라고요."

"응?"

"그때 담호에게 한바탕 당한 이후로 말이죠. 만해 사부께서 고 형님을 치료해 주셨잖습니까?"

"그랬지."

"그때 고 형님께 추궁과혈(推宮過穴)을 해 주고 몇 가지 무공 구결을 가르쳐 주었다고 합니다."

"응? 만해 사부가 왜?"

"네. 나중에 들어 보니 정신을 차린 고 형님이 너무 서럽게 통곡하는 바람에 불쌍하다는 생각이 들었다고 하시더군요."

"허어. 또 속으셨군, 쯧쯧."

"네? 속았다고요?"

"그래. 고굉, 그 녀석 툭하면 울거든. 그래서 상대의 마음을 약하게 만들고 빈틈을 보이게 만들지. 녀석은 그걸 이용해서 자신의 이익을 취하고 말이지."

"허어, 사내대장부가 그렇게 함부로 눈물을 흘린다고요?"

"왜? 사내대장부는 울면 안 되나?"

"아니, 그런 뜻이 아니라……."

"사내든 여자든 우는 걸 가지고 뭐라고 하면 안 되지. 단지 그 눈물과 울음으로 사람을 속이거나 이용하려 하는 걸 문제로 삼아야 하는 거야."

"그, 그렇죠."

"물론 아호에게 당한 게 죽고 싶을 정도로 부끄럽고 수치스러웠을 수도 있겠지. 그래서 눈물을 흘릴 수도 있고, 만해 사부를 붙잡은 채 하소연을 할 수도 있을 거야. 거기까지 계산했다고는 생각하지 않아. 단지 그런 자신의 모습에 마음이 흔들린 만해 사부를 보고 마음이 바뀌었을 것이야. 아, 잘만 하면 뭔가 이익을 볼 수 있겠다 하고."

"에이, 설마요. 형님이 너무 고 형님을 미워하시는 게 아닙니까?"

"뭔 소리. 내가 직접 당해 봐서 하는 말이야."

강만리는 어깨를 으쓱거리며 말했다. 정유는 뭔가 반론을 펼치려다가 입을 다물었다. 강만리는 길게 한숨을 쉬고는 다시 질문을 던졌다.

"그럼 그 녀석은 지금 무공을 익히고 있는 중인가?"

"네. 한동안 거처에서 밖을 나오지 않았던 게 바로 그 이유 때문이었답니다. 만해 사부께서 매일 들러서 가르쳐 주신다고 합니다."

"흠, 그렇군. 뭐, 만해 사부도 심심하지 않게 되었으니까 다행이라고 해야겠네. 아호는 어때?"

"담호는 고 형님을 다치게 했다는 죄책감에 한동안 풀죽어 있다가, 고 형님을 찾아가 대화를 나눈 후 요즘 다시 밝아졌습니다. 정정당당하게 싸우다가 입힌 부상이니 절대로 신경 쓰지 말라고 하셨다네요."

"누가? 고꾕이?"

"네."

"허어. 진짜로 바뀐 건가?"

"아까도 말씀드렸지만 형님이 너무 고 형님께 빡빡하

게 대한다니까요."

"흠, 그런가?"

"네, 그래요."

정유의 단언에 강만리는 머쓱한 표정을 지으며 엉덩이를 긁적이다가 다시 화제를 돌렸다.

"천맹에서는 연락이 없어?"

"네."

"생각보다 너, 천맹에서 필요 없는 존재였나 보다."

"하하하. 그건 그렇죠. 천맹에 워낙 인재들이 많으니까요. 저 같은 사람 한두 명 빠진다고 해서 티가 날 리가 없죠."

"그래? 그건 좀 서운하네. 자신이 빠져도 티가 나지 않을 조직이라니 말이지. 차라리 이번 기회에 아예 천맹을 빠져나와 이곳에 쭉 눌러앉는 건 어때? 이곳은 너 하나 빠지면 큰일 나는 곳이니까."

"아뇨. 사양하겠습니다. 설렁설렁 살아가기에는 천맹처럼 좋은 곳이 없으니까요. 형님 말대로 이곳에 눌러앉는다면 해야 할 일들이 너무 많을 것 같기도 하고요."

"그래? 하기야 나도 설렁설렁 살아가고 싶어."

"그게 가장 편하죠. 아무 걱정 없이 물 흐르는 것처럼 유유자적 살아가는 게요."

"그러니까 말이다. 어쨌든 너도 밥값은 해야지?"

"네? 아, 싫은데요. 제가 왜 허 노야를 만나러 갑니까? 싫습니다."

정유는 단호하게 거절했다.

* * *

"정유라고 합니다. 삼가 허 노야를 뵙습니다."

정유는 담담하게 인사했다.

허 노야는 눈을 가느스름하게 뜬 채 정유의 면면을 훑어보다가 다시 강만리를 돌아보며 입을 열었다.

"자네는 참 복이 많군그래. 자네보다 몇 배는 더 뛰어나 보이는 인재들을 동생으로 두다니 말일세."

강만리는 심드렁하게 대꾸했다.

"어디 동생들뿐이겠습니까? 마누라도 제수씨도 저보다 몇 배는 더 뛰어납니다. 그리고 이미 금전 빚을 다 갚았는데도 이렇게 오라 가라 하는 고리대금업자도 저보다 훨씬 더 뛰어나죠."

허 노야는 정사대전 이후 지금까지 고리대금업자로 신분을 위장하고 금룡회를 운영했다.

그리고 관원 시절의 강만리는 그 금룡회에서 돈을 빌린 적이 몇 번 있었는데, 훗날 허 노야가 유령마교의 봉공이라는 사실을 알게 되고는 기겁하며 놀라기도 했다.

허 노야가 흘흘 웃으며 말했다.

"농이 늘었구나."

"는 게 어디 농뿐이겠습니까? 몸무게도 꽤 늘었습니다."

"스스로 매를 벌어들일 줄도 알게 되었고. 아니, 그건 원래부터 그랬던가?"

"타고난 성격이죠."

"흠, 뭐가 그리 마음에 들지 않아서 심통을 부리는지 알 수가 없군. 나는 그저 간만에 자네와 함께 식사나 하면서 대화 좀 나누자고 초대한 건데 말이지."

"대화를 나누려면 뭔가 공통된 화제가 있어야 하지 않겠습니까?"

"왜 없겠나? 가령 또다시 의문에 사라진 노인네, 뭐 이런 거면 충분히 함께 대화를 나눌 수 있을 것 같은데."

허 노야는 능글맞게 웃으며 말했다. 강만리는 시치미를 뚝 떼며 물었다.

"그게 무슨 말씀이십니까?"

"아, 식사부터 하세. 기껏 성도부 최고의 숙수들을 데려다가 요리한 건데 다 식겠네. 자자, 다들 먹자고. 원래 다들 잘 먹기 위해서 일하는 게 아닌가?"

허 노야는 손을 들어 권유했다.

아닌 게 아니라 식탁에는 온갖 산해진미가 가득 차려져

있었다.

탁자의 가장자리에는 사천의 특산물인 아어(哑鱼)를 찌고 볶고 조린 요리들이 먹음직스럽게 놓여 있었다. 아어는 잉어와 비슷한 물고기로 서장(西藏)에서 가까운, 얼음이 얼어 있는 강에서만 잡을 수 있었다.

어두(魚頭)와 어골(魚骨)까지 먹을 수 있으며 어피(魚皮)는 미용에 좋다 하여 사천의 귀부인들이 즐겨 먹는 요리 재료 중의 하나였다.

또한 속에 팥고물이 들어 있는 찹쌀 경단과 푹 삶은 쇠고기와 소 혀, 염통, 위 등을 얇게 썰어 접시에 담고 조미료를 친 폐편(肺片) 요리도 있었으며 죽순과 청순과 함께 찐 오리고기도 있었다.

그렇게 한 상 가득 차려진 탁자 주변에는 오직 허 노야와 강만리, 그리고 정유만이 앉아 있었다.

허 노야의 권유에 따라 맛있게 식사를 하던 도중 강만리는 문득 생각났다는 듯이 주위를 둘러보며 입을 열었다.

"그런데 루호의 모습이 보이지 않던데요? 조금 전 들어올 때부터 지금까지 말입니다."

허 노야는 매운 고추와 산초 등으로 매콤하게 조리된 돼지고기를 씹으면서 우물거리듯 말했다.

"아, 요즘 바빠. 이제 나 대신 금룡회의 모든 업무를 다

처리하고 있거든."

강만리의 눈빛이 반짝였다.

말이 금룡회의 업무인 거지, 지금 허 노야가 말한 속뜻은 유령마교를 비롯한 모든 업무 처리를 루호가 도맡아 처리하고 있다는 의미였다.

즉, 이제 허 노야는 이선으로 물러나고 그 후계자로 루호가 전면에 나섰다는 의미인 셈이었다.

"흠, 믿어지지 않는데요."

강만리가 아어의 어피를 씹으며 말했다.

"그 욕심 많은 허 노야께서 은퇴라니요."

"은퇴는 무슨."

허 노야가 고개를 설레설레 흔들며 말했다.

"잠시 쉬는 것뿐이네. 그동안 너무 머리를 쓰느라 골치가 아팠거든."

"무슨 일로 그리 머리를 쓰셨을까요?"

"뭐, 도련님의 실종된 하인 문제 같은 거지."

허 노야는 눈빛을 반짝이며 말했다. 강만리는 태연한 얼굴로 그를 바라보았다.

한두 달 전이었던가.

허 노야가 느닷없이 화평장에 찾아와서 백노를 내놓으라는 협박 아닌 협박을 한 적이 있었다. 당시에도 강만리는 지금처럼 자신은 모르는 일이라며 딱 잡아뗐다.

하지만 결국 강만리는 허 노야가 말한 대로 백노의 시신을 골목 어귀 버드나무 아래에 두었고, 허 노야의 수하들이 그 시신을 챙겨 사라진 적이 있었다.

지금도 그때처럼 허 노야는 혈노가 이미 살해되었으며 그 범인이 강만리라고 확신하는 가운데 의뭉을 떨고 있었으며, 강만리는 그런 사실을 인지했음에도 불구하고 자신이 아닌 척 딱 잡아떼는 중이었다.

2. 어릿광대

허 노야는 강만리를 똑바로 쳐다보며 말했다.

"참 배짱 하나는 두둑하다니까. 백노를 죽이더니 이번에는 혈노까지 살해하다니. 정말 미친 게 아닐까 싶을 정도로 대담하다니까."

허 노야의 말에 강만리는 끝까지 모른 척하며 대꾸했다.

"누가 그렇게 배짱 두둑하고 대담하답니까?"

"글쎄. 누굴까?"

허 노야는 음흉한 미소를 머금은 채 강만리를 쳐다보았다. 강만리는 어깨를 으쓱거렸다.

"글쎄요?"

"뭐, 어쨌든 나야 상관없네. 혈노나 백노 따위들에게 정이 있는 것도 아니고, 도련님도 조금은 상심하시겠지만 금세 새로운 하인들에게 정신이 팔리실 테니까."

허 노야도 어깨를 으쓱거리며 말했다.

"하지만 그 전까지는 백노와 혈노가 어찌 되었느냐며 찾아내라고 나를 닦달하시겠지. 자네도 잘 알겠지만 도련님이 한번 화가 나면 진짜 무섭거든. 눈이 돌아가서 그야말로 미친 듯이 패고 부수고 죽이거든. 저 천하의 어르신들조차 움찔거릴 정도이니까."

"흐음. 정말 골치 아픈 도련님이네요."

"그렇지. 어떤 면에서는 내가 조금 잘못 키운 게 아닐까 싶기도 하지만 사실 그게 사마외도의 본질이라 할 수 있거든. 어쩔 수 없는 일이기도 하지."

강만리는 허 노야의 말뜻을 이해하지 못했다.

'사마외도의 본질이라니?'

그가 고개를 갸우뚱거리자 가만히 대화를 듣고만 있던 정유가 담담한 어조로 말했다.

"사마외도의 본질이라기보다는 사마외도가 익히는 무공의 특징이라 하는 게 더 정확하겠죠."

"무공의 특징? 그런 것도 있었나?"

강만리의 질문에 허 노야가 한숨을 쉬며 고개를 설레설레 흔들었다.

"가끔은 자네가 아직도 관아의 포두가 아닐까 하고 착각하게 된다니까. 여태 강호 물을 먹었는데도 아직 그런 기본적인 것조차 모른다는 말인가? 자네의 의형제들은 도대체 뭘 하고 있는 게야, 그런 것도 설명하지 않고."

"죄송합니다."

정유가 미소 지으며 말했다.

"워낙 다들 바쁘게 살아서 미처 그런 사소한 것까지는 생각하지 못했습니다."

"도대체 뭔데?"

강만리가 답답하다는 듯이 묻자 정유는 "그럼 대화 중에 죄송합니다만……." 하고 허 노야에게 양해를 구한 후 설명하기 시작했다.

기본적으로 정파의 내공 심법은 광명정대하고 심오박대(深奧博大)하여 처음 입문 과정에서 일류 이상의 수준까지 오르는데 매우 오랜 시간이 걸린다.

하지만 절정의 무위에 이르게 되면 이른바 심벽(心壁)을 빠르게 돌파할 수 있어서, 그 이후로는 상당히 빠르게 최고 경지에 도달할 수가 있었다.

반면 사마외도의 내공 심법은 좁고 단순하며, 속성(速成)에 적합하여 일정 수준까지는 정파보다 훨씬 빠르고 강하게 성장할 수가 있었다.

하지만 일정 수준에 도달하여 느끼는 벽의 두꺼움이나

강도는 정파의 그것보다 훨씬 커서, 심벽을 깨고 최상승의 경지까지 오르는 데 상당히 어려움을 겪게 된다.

설령 그렇게 심벽을 깨고 최고 경지에 오른다 하더라도 주화입마에 걸리거나 혹은 심지(心志)를 잃고 광인(狂人)이 되기도 한다.

사마외도의 나이 든 노기인들이 괴팍한 성정을 보이는 건 원래 성격이 그러해서가 아니라, 그들이 익힌 사마외도의 심법 때문에 그렇게 변한 것이라고 할 수 있었다.

"그러나 극(極)과 극은 통한다는 말처럼 사람이 도달할 수 있는 한계를 뛰어넘게 되면 사마외도의 심법을 익힌 자나 정파의 심법을 수련한 자나 모두 비슷한 경지에 오르게 됩니다. 저 공적십이마로 대변되는 사마외도 최절정의 고수들이 미치거나 주화입마에 걸리지 않는 것처럼 말입니다."

안 그래도 그 부분을 물어보려 했던 강만리의 속내를 알고 있었다는 듯이, 정유는 그렇게 마지막으로 설명하며 자신의 이야기를 끝냈다.

강만리는 호오, 하는 얼굴로 듣고 있다가 또 다른 궁금증이 생겨 불쑥 물었다.

"그럼 도련님은 아직 최고 단계까지 오르지 못한 건가?"

"아마도요."

정유가 담담하게 말했다. 강만리는 여전히 이해가 가지 않는다는 얼굴로 재차 물었다.

"그렇게나 강하다면서? 심지어 오대가문 가주보다 더 강한 것 같다고 하던데?"

"사람마다 최고 단계라는 수준이 다 다르니까요. 형님이 도달할 수 있는 최고 단계가 일류급이라면, 저는 그보다 몇 단계 위겠죠. 아마 그 도련님이라는 사람은 저보다 더 몇 단계 위인 최고 단계일 거고요."

정유의 말에 강만리는 눈살을 찌푸리며 투덜거렸다.

"방금 그 말, 마음에 안 들어. 나도 벌써 일류급을 넘어섰다고 생각하는데."

"예를 들어 그렇다는 겁니다. 누가 형님의 한계를 겨우 그 정도로 생각하겠습니까?"

정유는 놀리듯 웃으며 말을 이었다.

"저는 형님이 아마 그 도련님과 비슷한 경지까지 오르실 거라고 생각합니다."

"그 말도 마음에 안 드는군."

강만리는 팔짱을 끼며 입을 내밀었다.

두 사람의 대화를 듣고 있던 허 노야가 문득 길게 한숨을 내쉬며 입을 열었다.

"알고 보니 자네, 화평장의 우두머리가 아니라 사각(傻角:어릿광대)이었군그래. 자네 의형제들이 마음대로 가지고 놀면서 한숨을 돌리고 휴식을 취하는 그런 어릿광대 말일세. 그렇게 보면 정말 못된 의형제들이군그래. 감히 제일 큰형을 그렇게 함부로 가지고 놀다니 말일세."

"맞습니다, 어릿광대."

강만리는 웃는 낯으로 고개를 끄덕이며 말했다.

"그러니까 허 노야께서도 저를 이렇게 함부로 가지고 놀고 계시지 않습니까?"

"응? 내가?"

"그럼 아닌가요? 굳이 바쁜 와중에 우리의 의중과는 상관없이 멋대로 초대해서 이렇게 쓸데없는 이야기로 제 시간을 뺏고 있잖습니까? 이건 허 노야가 저를 어릿광대로 취급하는 게 아니고 또 뭡니까?"

"으응?"

허 노야의 눈이 휘둥그레졌다. 당황한 눈치가 역력했다. 강만리의 갑작스러운 변화에 미처 제대로 반응할 수가 없었던 것이다.

강만리는 여전히 싱글거리며 말을 이어 나갔다.

"허 노야의 도련님이 화가 나든 말든, 뭘 부수고 누구를 죽이든 저와는 하등 관계가 없습니다. 그러니 괜히 도련님을 앞에 내세워 호가호위(狐假虎威)하지 마시고, 할 말이 있으면 단도직입적으로 말씀하십시오. 제가 비록 어릿광대이기는 하지만 그 정도 알아들을 머리는 있으니까 말입니다."

"허어! 자, 자네가 감히 내게……."

"절 어릿광대로 보든, 허수아비로 보든 상관없습니다. 하지만 우리 형제들은 결코 나쁘거나 못돼 먹지 않았습니다. 한 번 더 우리 형제들을 가지고 뭐라고 하신다면, 그때는 아무리 유령마교가 대단하다 할지라도 가만있지 않겠습니다."

강만리는 여전히 웃는 낯으로 말하며 자리에서 일어났다.

"그럼 맛있게 먹고 갑니다. 아, 허 노야께서 자랑하시던 그 숙수들, 생각보다 실력이 별로인 것 같네요. 돼지고기는 질기고, 오리찜은 냄새가 나더군요. 나중에 시간 되시면 우리 화평장에 놀러 오십쇼. 진짜 요리가 뭔지 맛보여 드릴 테니까요. 그럼 이만."

강만리는 정중하게 허리를 숙인 후 허 노야의 대답을 기다리지도 않은 채 자리를 떴다.

정유가 어이없다는 얼굴로 그 뒷모습을 바라보다가 역시 자리에서 일어나 정중하게 손을 모으며 말했다.

"강 형님께서 취하신 모양이니 너그럽게 생각해 주시기 바랍니다. 하지만 다른 건 몰라도 확실히 돼지고기는 질기고, 오리찜에서는 냄새가 나더군요. 그럼 다음에 뵙겠습니다. 보중하시기를."

정유도 바람처럼 자리를 떴다.

입을 떡 벌린 채 멍한 눈으로 두 사람이 객청을 나서는 모습을 지켜보던 허 노야가 저도 모르게 탄식했다.

"허어."

살다 살다 이런 치욕은 처음이었다.

허 노야의 멍한 얼굴에 이내 불쾌한 빛이 스며들었다.

애송이 포쾌 시절부터 지켜봐 오던 녀석이었다. 하나뿐인 누이동생을 건사하며 어떻게든 살기 위해 아등바등하던 놈이었다.

누이동생이 죽는 것도, 어느새 훌쩍 자라 사천 제일의 포두가 된 것도, 십삼매와 사랑을 나누다가 배신당한 것도, 허 노야는 그 모든 과정을 그의 곁에서 지켜보았다.

그 애송이가 이제 조금 무공을 익혔다고 감히 자신에게 덤벼들다니. 당연히 제 의형제들, 특히 담우천이라는 자를 믿고 부리는 배짱일 것이다.

도대체 호가호위는 누가 하는 것이란 말인가.

'단단히 혼쭐을 내주지 않으면…….'

세상 무서운 줄 모르고 날뛰겠지. 하늘 높다는 걸 가르쳐줄 때가 된 게야. 누가 어른이고 누가 아이인지, 누가 주인이고 누가 하인인지 제대로 교육을 시켜야겠다.

허 노야는 그런 생각을 하면서 소리쳤다.

"게 아무도 없느냐!"

문이 열리고 제자 한 명이 모습을 드러냈다.

"부르셨습니까?"

허 노야가 싸늘한 목소리로 냉정하게 말했다.

"주방의 숙수들, 모두 목을 베어라."

"네?"

제자의 눈이 휘둥그레졌다. 허 노야는 매서운 목소리로 말했다.

"손님들 앞에서 날 망신시켰으니 죽음으로 배상해야 할 것이다."

제자는 무슨 영문인지 몰라 어리둥절한 표정을 지었다. 하지만 허 노야의 말은 곧 법과 같았다. 그는 이내 허리를 숙이며 말했다.

"그리하겠습니다."

"좋아."

허 노야는 크게 고개를 끄덕이며 중얼거렸다.

"다음은 만리, 네 녀석이다."

3. 추한 멧돼지

"이런, 그 노인네가 내 이야기를 하고 있나 보군. 이렇게 귀가 간지러운 걸 보니 말이지."

화평장으로 돌아가는 길.

강만리는 투덜거리며 귀를 긁었다. 나란히 걷던 정유가 살짝 인상을 찡그리며 말했다.

"너무 나가셨습니다."

"음? 뭐가 너무 나가?"

"조금 전 상황 말입니다. 좋게 좋게 말로 해결할 수 있는 자리였는데 그렇게 벌컥 화를 내면서 자리를 박차고 나오시다니, 가뜩이나 부산스러운 상황에다가 상대할 적도 많은데 굳이 허 노야까지 적으로 돌릴 필요가 어디 있습니까?"

"아, 그거? 음, 솔직히 나도 조금 후회하고 있기는 해. 조금 더 냉정하고 냉철하게 화를 냈어야 한다고 말이지. 그 노인네가 화병으로 쓰러질 정도로 제대로 타격을 줬어야 하는데, 그게 아쉬워."

"네? 진짜 그렇게 생각하세요?"

"당연하지."

강만리는 이번에는 엉덩이를 긁적거리며 말했다.

"사실 나야 얼마든지 무시당해도 상관없어. 늘 그래 왔으니까. 언제나 그 노인네는 나를 장난감 취급하고 어릿광대처럼 여겼거든. 그러니까 그 부분에 대해서는 지금도 특별히 화가 나지는 않아."

"그럼 왜 화를 내셨는데요?"

"당연하잖아? 내 의형제들을 비웃었으니까."

"네에? 겨우 그 정도 이유로요?"

"그 정도 이유가 아니야."

강만리는 정색하며 말을 이었다.

"너나 군악, 예추는 이미 내 가족과 같은 존재들이지. 세상 사람들 아무나 붙잡고 물어봐. 가족을 건드리는 자를 가만 놔두겠냐고 말이야. 단 한 명도 가만 놔두겠다고 대답하는 사람이 없을걸?"

"그야⋯⋯."

"그런데 허 영감, 그 늙은이가 내 가족과 같은 의형제들을 비웃고 무시한 거야. 그걸 가만히 지켜보고 있어? 그럴 수는 없지. 날 장난감 취급하고 어릿광대처럼 생각하는 건 참을 수 있지만 그건 참을 수 없어. 아니, 참으면 안 되지. 당연히 본때를 보여 줘야지. 절대로 가족은 건드리는 게 아니라는 걸 똑똑하게 각인시켜 줘야지."

"으음."

강만리의 이야기를 들으면서 정유는 문득 복잡미묘한 표정을 지었다.

'그럼 나는? 나는 지금 잘못하고 있는 걸까? 어쨌거나 내 가족을 죽인 사람과 이렇게 태평하게 이야기하고 있는 게⋯⋯.'

강만리는 정유가 그런 생각을 하는지도 모른 채 태연하

게 엉덩이를 긁적거리며 말을 이어 나갔다.

"아마도 그 늙은이, 지금 날 어떻게 혼쭐을 내 줄까 하고 고민하겠지. 하지만 혼쭐은 내가 내 줄 거야. 우리가 성도부를 떠나기 전, 반드시 그 늙은이를 후회하게 할 거야. 우리를 두 번 다시 장난감 취급하지 못하도록 말이야."

"아, 네."

정유는 다시 가볍게 눈살을 찌푸리며 말했다.

"하지만 그보다 먼저 형님, 그 엉덩이를 긁적거리는 습관부터 고치셔야 합니다."

"응? 내가? 언제?"

"지금도 엉덩이를 긁고 계시지 않습니까?"

"어라? 내 손이 왜 여기 있지?"

강만리는 화들짝 놀라며 엉덩이를 긁던 손을 뺐다. 정유가 웃으며 지적했다.

"그것 보세요. 형님 본인조차 미처 눈치채지 못할 정도로, 아예 무의식 속에 각인된 습관이라니까요."

"아, 그게…… 간지러워서 그만……."

"아뇨. 그건 간지러워서 긁는 게 아니거든요."

정유는 단호하게 말했다.

"사실 간지러우면 엉덩이가 아닌 어디든 긁지 못하겠습니까? 하지만 형님은 시도 때도 없이 긁거든요. 심지어 태자 전하 앞에서도 엉덩이를 긁적거렸고, 오늘 허 노야와의 자리에서도 엉덩이를 긁적거렸어요. 뭔가 생각이 나지 않을 때도, 좋은 생각이 떠올랐을 때도, 말문이 막히거나 반대로 쉬지 않고 이야기를 할 때도, 그러니까 그냥, 무조건, 틈이 날 때마다 긁고 있거든요."

"내가 태자 전하 앞에서도 엉덩이를 긁었어?"

"그럼요. 몇 번이고 눈치를 줬는데도 전혀 눈치채지 못하고 긁으시더라고요."

"허험."

"형님은 우리가 남들에게 무시당하고 업신여김을 당하는 게 싫다고 하셨죠? 그건 우리도 마찬가지입니다. 우리도 당연히 형님이 남들에게 무시를 당하거나 업신여김을 당하는 게 싫거든요."

정유는 머쓱한 표정을 짓는 강만리를 바라보며 진지한 어조로 말을 이어 나갔다.

"하지만 형님 본인이 사람들에게 비웃음을 살 행동을 하시잖아요. 다른 건 몰라도 그것부터 먼저 고쳤으면 합니다. 사람들 입에서 '아무 자리에서나 채신머리없게 엉덩이를 긁적거리는 추한 멧돼지'라는 소리가 나오지 않도록, 그런 소리를 들으면서 우리가 씁쓸하게 웃지 않도록 말입니다."

"음, 미안하군. 앞으로 신경 써서 고치도록 하지."

그렇게 사과하던 강만리는 문득 눈빛을 빛내며 물었다.

"그런데 말이지. 누가 '아무 자리에서나 채신머리없게 엉덩이를 긁적거리는 추한 멧돼지'라는 소리를 하던가?"

"그건 비밀인데요."

"비밀은 무슨. 설마 우리 화평장 사람들은 아니겠지?"

"비밀이라니까요."

"아니, 그것만 말해 줘. 화평장 사람이야, 아니야?"

"비밀입니다."

"수상한데. 우리 화평장 사람이 아니라면 굳이 비밀이라면서 숨길 것도 없을 텐데."

"하하하. 비밀입니다."

정유는 유쾌하게 웃으며 말했다.

"누가 그런 이야기를 했는지는 중요하지 않아요. 중요한 건 형님부터 사람들의 존경을 받아야만 형님의 가족들도 무시를 당하지 않는다는 겁니다."

"음, 명심하겠네."

강만리는 고개를 끄덕이며 말했다.

"앞으로는 아무 자리에서나 채신머리없게 엉덩이를 긁적거리는 추한 멧돼지가 되지 않도록, 확실히 주의하고 경계하겠네."

"그럼 된 겁니다."

"그런데 누가 그렇게 말했는데?"

"하하하, 정말 집요하시네요. 비밀이라니까요."

정유는 그렇게 웃으며 황급히 앞서 걸어 나갔다.

"아니, 궁금해서 그러는 거지, 내가 꼭 복수를 하겠다거나 그런 건 아니라니까."

강만리가 서둘러 정유의 뒤를 따라가며 말했다. 정유는 어깨를 으쓱거리며 대꾸했다.

"너무 집요한 것도 좋지 않습니다. 형님의 체면이나 위신이나 자존심을 생각해서 적당히 하셔야 합니다."

"그럼 내가 집요하게 묻지 않도록 자네가 얼른 내 궁금증을 해결해 주면 되지 않는가? 누가 그런 소리를 한 게야?"

* * *

"아, 정말 아저씨는 못 말리겠다니까요."

소홍은 고개를 설레설레 흔들며 투덜거렸다.

"마치 아무 곳에서나 채신머리없게 엉덩이를 긁적거리는 추한 멧돼지 같더라니까요. 그래서 몇 번이고 이야기해 드리고 싶었는데, 아저씨 체면을 생각해서 차마 입을 열 수가 없었어요. 나이도 어린 제가 지적하기에는 아무래도 아닌 것 같아서요."

"잘했어."

십삼매가 말린 과일과 과자가 담긴 그릇을 소홍에게로 밀어 주며 미소를 지었다.

"너도 이제 어른이 되었네. 상대의 체면이나 위신을 생각해 줄 줄도 알고."

"아휴, 겨우 그 정도 할 줄 알게 되었다고 어른인가요?"

"그럼."

십삼매는 우아한 손길로 말린 과일을 집어 들며 말했다.

"나이를 먹었다고 저절로 어른이 되는 게 아니란다. 스무 살이 넘고, 서른 살이 넘어서도 타인을 배려하지 못하고 자신만 생각하는 자들이 넘쳐 나지. 그런 자들은 나이만 먹었을 뿐, 장난감이나 먹을 것을 혼자 다 차지하려는 어린아이들과 다를 바가 없거든."

"그럼 타인을 배려할 줄 아느냐, 그렇지 못하느냐가 어른과 아이의 차이인가요?"

"물론 그것 하나만으로 꼭 단정할 수는 없단다. 제대로 된 어른이라면 타인과 더불어 살아갈 줄 아는 지혜를 가지고 있지. 물론 지혜만 있다고 되는 게 아니고, 그 지혜를 바탕으로 생각하고 행동할 줄 알아야 제대로 된 어른이라 할 수 있는 거야. 타인에 대한 배려는 그중 일부분이라 할 수 있는 거지."

"그렇군요. 그래도 이제 어른이라고 말할 수 있는 거죠?"

"그럼. 이제 당당한 어른이 된 거야. 그렇다고 그렇게 함부로 가슴을 내밀지는 말고."

십삼매는 어느새 풍만해진 가슴을 내밀며 으쓱거리는

소홍이 귀엽다는 듯 미소를 지으며 말을 이어 나갔다.

"그래, 화평장에는 별일 없었니?"

"아, 이런저런 일들이 많았어요."

소홍은 십삼매처럼 다리를 꼬고 머리카락을 한쪽으로 쓸어 넘긴 후 우아한 손길로 과자를 집어 들며, 그간 화평장에서 보고 겪었던 일들을 이야기하기 시작했다.

소홍은 눈빛을 초롱초롱 빛내며 들뜬 목소리로 담호에 대해서 이야기했다.

그녀는 담호가 화평장에 침입한 괴인의 기척을 눈치채고 그 침입자를 사로잡는 데 혁혁한 공을 세운 이야기를 자랑스럽게 늘어놓았다.

또한 그녀는 한때 성도부 뒷골목을 지배했던 고꿩을 단한 주먹에 쓰러뜨린 장면에 대해서도 세세하게 설명했다. 소홍은 그 어린 꼬마가 얼마나 성장했는지 얼마나 강해졌는지, 그리고 얼마나 듬직해지고 사내다워졌는지 말했다.

십삼매는 눈가에 웃음기를 머금은 채 가만히 소홍의 이야기를 듣고 있었다.

소홍이 마치 제 자랑을 하듯이 우쭐거리며 이야기하는 그 흥분된 표정과 들뜬 목소리와 분홍빛 홍조로 반짝이는 목덜미를 바라보면서 십삼매는 속으로 중얼거렸다.

'이 아이, 진짜 어른이 되었네.'

사랑을 하는 게다.

그게 풋사랑이든 첫사랑이든 무엇이든 간에 소홍은 태어나서 처음으로 진실한 사랑을 하기 시작한 게다.

타인을 소유하기 위해서, 혹은 자신의 이익을 바라고 영달을 위해서 꾸며진 사랑을 하는 게 아니라, 다른 목적이나 손익이나 꿍꿍이 같은 속셈 따위 하나 없는 사랑을 시작한 게다.

'아니, 그렇게 생각하면 아직 어른이 되려면 한참 먼 것일지도……'

십삼매는 속으로 한숨을 쉬며 생각했다.

진심이 담긴 사랑이라는 건 확실히 어른이 할 게 아닌 사랑이었으니까. 개인의 욕심이나 이익, 주변 상황이나 혹은 필요에 의해서, 혹은 자신의 목적에 부합되는 경우에만 사랑을 하는 게 이른바 '어른의 사랑'이었으니까.

'나처럼 되려면 아직 한참 배워야겠지.'

십삼매는 여전히 쉴 새 없이 종알거리는 소홍을 고즈넉이 바라보며 내심 중얼거렸다.

'하지만 이왕이면 나처럼 되지 말기를.'

그렇게 기도하듯 속으로 중얼거리는 십삼매의 눈빛이 노을처럼 붉게 가라앉고 있었다.

2장.
손수건의 용도

"그나저나 손수건은 왜 이리 많이 가지고 있는 거야?"
나찰염요가 싱긋 웃으며 말했다.
"원래 여인들이란 준비성이 철저한 종족들이거든요."

1. 송강우(宋江雨)

화군악은 구경꾼의 옷자락을 찢어서 손에 쥔 채 장예추를 이끌고 구경꾼 무리를 빠져나왔다. 장예추가 어리둥절한 얼굴로 물었다.

"도대체 뭐 하는 거야?"

화군악은 교룡회 건물 뒤쪽으로 이어지는 골목길로 내달리며 말했다.

"잠자코 따라와."

화군악과 장예추가 골목길에 들어서는 순간이었다.

"군악! 예추!"

등 뒤에서 자신들을 부리는 소리가 들려왔다. 순간 두

사람은 움찔했고 그 짧은 찰나, 오만 가지 생각이 그들의
뇌리를 스치고 지나갔다.

'금해가 놈들인가?'

'태극천맹? 아니, 그들은 우리의 이름을 몰라.'

화군악과 장예추는 그런 생각을 떠올리며 무의식적으
로 뒤를 돌아보았다.

'어라?'

일순 그들의 눈이 휘둥그레졌다.

'아니, 형님이 왜 여기에 계시는데?'

그들을 부른 사람은 다름 아닌 담우천이었다. 담우천은
말을 탄 채 그들을 내려다보고 있었고, 바로 그 뒤로 역
시 말을 탄 나찰염요의 모습이 보였다.

담우천과 나찰염요 또한 화군악과 장예추처럼 눈을 휘
둥그레 뜨고 있었다. 지금 골목기로 들어서려는 두 명의
중년 사내는 그 뒷모습과는 달리 자신들이 알고 있던 자
들이 아니었던 것이었다.

"이런, 미안하오."

담우천이 화군악과 장예추를 향해 사과했다.

"사람을 잘못 보았나 보오."

담우천의 사과에 화군악과 장예추는 씨익 웃었다.

'그렇구나. 우리는 지금 변장을 하고 있었지.'

'형님도 우리를 알아보지 못하네.'

두 사람은 그렇게 생각하며 웃고 있을 때였다. 담우천이 살짝 눈을 가늘게 떴다. 중년 사내들이 웃는 모습이 어딘지 모르게 낯익게 느껴진 까닭이었다.

"형님, 형수님."

화군악이 웃으며 입을 열었다.

"진짜 우리를 몰라보십니까?"

담우천이 눈살을 찌푸렸다. 그제야 비로소 이 중년 사내가 누구인지 알게 된 것이다. 나찰염요도 뒤늦게 그들을 알아본 듯 "어머!" 하면서 깜짝 놀랐다.

"그 우스꽝스러운 몰골들은 뭐지?"

담우천이 묻자 화군악은 머리를 긁적이며 말했다.

"악양부에 날 아는 사람들이 워낙 많아야죠."

"그럼 예추는?"

"우연히 저도 아는 사람을 만나서요."

"흠."

담우천은 그들을 훑어보다가 문득 화군악의 손에 쥐어진 찢어진 옷자락을 발견했다.

"그 옷자락은 뭔가?"

"아!"

화군악은 그제야 생각났다는 것처럼 다급한 어조로 말했다.

"이러고 있을 시간이 없습니다. 지금 유 사부가 교룡회

놈들과 싸우고 있거든요."

"안 그래도 지금 막 그 광경을 보고 온 참이다. 그런데 유 사부는 왜 교룡회와 싸우고 있는 거지?"

"이야기가 깁니다. 설명은 나중에 드릴 테니까 우선 이걸로 얼굴을 가리고 유 사부를 도와주러 가죠."

화군악은 손에 쥔 찢어진 옷자락을 들어 보이며 말했다. 장예추는 그제야 왜 화군악이 구경꾼의 옷을 찢었는지 알게 된 듯 황당하다는 표정을 지으며 입을 열었다.

"겨우 그런 걸로 남의 옷을 찢은 거야?"

"그럼 뭘로 얼굴을 가릴 건데?"

화군악의 질문에 장예추가 대답하지 못할 때, 나찰염요가 웃으며 말했다.

"이걸로 가리세요."

그녀는 소매에서 몇 개의 손수건을 꺼냈다. 꽃과 새의 문양이 수놓아진, 나찰염요의 향기가 고스란히 묻어 있는 손수건이었다.

화군악이 난색하며 손을 저었다.

"아닙니다, 형수. 우리는 그저 이 옷자락으로도 충분히……."

"됐다. 얼른 받아라."

담우천은 두 장의 손수건을 화군악과 장예추에게 던졌다. 손수건은 빠른 속도로 날아갔고, 화군악과 장예추는 엉겁결에 그 손수건을 받아 쥐었다.

담우천도 나찰염요에게서 손수건 한 장을 받아 얼굴을
가리며 물었다.

"그래, 이제 어찌할 생각이냐?"

화군악은 머뭇거리다가 그 여인의 향기 물씬 배어 있는
손수건으로 얼굴을 가리며 입을 열었다.

"교룡회 건물 뒤쪽으로 돌아가 오 층 전각으로 올라가
는 겁니다. 물론 상대가 교룡회뿐이라면 유 사부 혼자서
도 얼마든지 상대할 수 있겠지만, 보아하니 금해가와 태
극천맹에서도 사람들을 보낼 것 같거든요."

"금해가와 태극천맹이 교룡회에? 왜?"

"그것도 나중에 설명해 드릴게요."

화군악이 말하는 동안 장예추와 나찰염요도 손수건을
복면 삼아 얼굴을 가렸다.

"준비는 끝난 것 같으니까 가시죠."

화군악은 골목 안쪽으로 달려갔다. 화군악이 그 뒤를
따르고, 담우천과 나찰염요 역시 말에서 내려 그들의 뒤
를 따라갔다.

교룡회의 뒷문 쪽에는 네 명의 흑의 무사가 창을 들고
경계를 서고 있었다.

화군악은 골목에서 뛰어나오는 동시에 그들에게 지풍
(指風)을 날렸다. 날카롭게 바람을 가르는 소리와 함께
네 명의 흑의 무사들이 동시에 꼬꾸라졌다.

나찰염요가 감탄하며 말했다.

"대단하네요. 지풍으로 그렇게 마혈을 제압하는 건 정말 쉬운 일이 아닌데."

혈도를 점혈하는 건 결코 쉬운 일이 아니었다. 적당한 공력을 사용하여 혈도를 적절한 힘으로 눌러야 했다. 그누르는 힘의 정도가 달라지거나 너무 깊게 누르거나 너무 얕게 눌러도 점혈은 실패로 돌아간다.

그 지극히 까다롭고 어려운 점혈을, 수 장 거리 떨어진 곳에서 지풍을 날려 성공하는 건 어지간한 고수들도 감히 시도조차 하지 못할 일이었다.

"보아하니 월령일섬지(月靈一閃指)를 십성(十成) 익힌 것 같군그래."

담우천의 말에 화군악이 웃으며 말했다.

"이제 사부보다 훨씬 더 자유자재로 구사하죠."

"하여튼 겸손이라는 걸 몰라."

장예추가 타박했다. 담우천은 다시 화군악을 바라보며 말했다.

"그럼 계속하자."

"네, 형님."

화군악과 장예추는 점혈을 당해 쓰러진 네 명의 흑의 무사들을 골목길 안쪽으로 옮긴 후 곧바로 경공술을 발휘하여 훌쩍 담을 뛰어넘었다. 담우천과 나찰염요도 나란히 담을 뛰어넘었다.

교룡회 뒤쪽은 한산하고 경비가 보이지 않았다. 당연한
일이었다. 무작정 교룡회로 뛰어든 유 노대로 인해 교룡
회의 모든 병력이 연무장으로 달려 나간 상황이었다.

화군악 일행은 조심스레 주위를 살피며 교룡회의 본청
으로 달려갔다. 역시 그곳에서 경비를 서는 무사가 보이
지 않았다.

화군악 일행은 곧장 경공술을 펼쳐 허공으로 날아올랐
다. 순식간에 그들의 신형이 하늘 높이 솟구쳤다. 그들은
허공에서 한 번 공중제비를 돌면서 삼 층 처마 끝자락을
발로 걷어차고는 그대로 재도약하여 가볍게 오 층 난간
안쪽으로 떨어져 내렸다.

얼마나 가볍고 표홀(飄忽)한 움직임이었는지, 그들이
착지하는 소리는 전혀 들리지 않았다.

회랑(回廊)은 오 층 외곽을 따라서 뒤쪽과 앞쪽이 연결
되어 있었다. 화군악 일행은 그 회랑을 따라 앞쪽으로 걸
어 나갔다.

굽이진 회랑, 고개를 내밀면 전면의 양대가 보이는 자
리까지 이동한 후, 그들은 걸음을 멈추고 무슨 대화를 나
누는지 잠시 엿듣기로 했다.

이때는 이미 태극천맹의 악양 지부주 송강우가 오 층
양대로 뛰어올라 대화를 나누는 중이었다.

"곤륜파의 노선배를 만나 뵙게 되어 영광이오."

송강우는 유 노대를 향해 그렇게 말했다. 두 손은 모았으나 허리는 굽히지 않았고, 영광이라고 말은 하면서 오만한 말투와 거만한 표정은 전혀 숨기지 않았다.

유 노대의 눈살이 살짝 찌푸려진 건 바로 그런 이유에서였을 것이다.

송강우는 계속해서 말했다.

"하지만 아무리 곤륜파의 노선배라고 해도 이렇게 함부로 난동을 피우면 안 되는 일이오."

유 노대는 "허어." 하면서 어이가 없다는 얼굴로 말했다.

"난동?"

"그럼 이게 난동이 아니고 뭐요?"

송강우는 눈을 부릅뜨며 말했다.

"정상적으로 영업하는 상회를 찾아와 정문과 담을 부수고 상회의 무사들을 상해(傷害)한 것이 난동이 아니라면 또 어떤 게 난동이라 할 수 있겠소?"

거기까지 말한 송강우는 피식 웃으며 말을 이었다.

"아, 정정하겠소. 그래도 명색이 명문 정파의 어르신이라 그런지 모두 마혈을 제압한 것 같구려. 그래도 난동은 분명한 난동이오."

"허어."

유 노대는 기가 차다는 듯한 표정을 지으며 물었다.

"도대체 자네의 사문(師門)과 존장(尊丈)이 어찌 되는지 궁금하군그래."

"별걸 다 궁금해하시는구려. 본인의 사문은 태극천맹이고, 본인의 존장은 태극천맹주이시오. 이제 되었소?"

"허어."

유 노대는 어이가 없다는 듯이 말을 잇지 못했다. 송강우는 한 번 유 노대를 노려본 다음 교룡회 사람들에게로 시선을 돌리며 입을 열었다.

"누가 이곳의 책임자요?"

예의 그 여인이, 서른 살은 넘고 마흔 살은 안 되어 보이는, 유 노대와 가벼운 설전(舌戰)을 벌였던 요염한 몸매의 여우 같은 인상을 지닌 미녀가 웃으며 입을 열었다.

"제가 이곳의 책임자랍니다, 송 지부주."

"응?"

유 노대의 눈이 휘둥그레졌다. 그는 저도 모르게 입을 열어 질문을 던졌다.

"자네가 교룡두라고? 분명 자네 입으로 교룡두가 아니라고 하지 않았는가?"

"잠깐만."

송강우가 손을 내밀어 유 노대의 말을 저지하며 불쾌하다는 듯이 말했다.

"귀하는 입을 함부로 열지 마시오."

"귀, 귀하?"

유 노대의 얼굴이 붉게 달아올랐다.

조금 전까지 그래도 노선배 운운하던 송강우가 이제는 아예 귀하라고 말하는 것이다. 수십 년 어린 후배의 입에서 그런 소리를 들었는데 어찌 화가 나지 않을 수 있겠는가.

2. 구미호(九美狐)

유 노대의 얼굴이 붉어졌지만 정작 송강우는 태연자약한 얼굴로 여인을 돌아보며 물었다.

"그럼 귀하가 교룡두라는 말이오?"

"아뇨."

여인은 요염하게 웃으며 고개를 저었다. 송강우가 눈살을 찌푸리자, 여인은 그가 버럭 화를 내기 전에 생글생글 웃으며 얼른 말을 이었다.

"지금 교룡두는 자리를 비우고 없거든요. 그래서 제가 그를 대신하여 빈자리를 맡고 있답니다. 아, 인사가 늦었네요. 구염(丘艶)이라고 해요. 교룡회 사람들은 제가 아홉 가지 아름다움을 가지고 있다고 해서 구미호(九美狐)라고 부르더라고요. 송 지부주께서도 그렇게 부르셔도 돼요."

"아, 원래 구 소저이셨구려."

송강우는 딱딱하게 말했다.

"그럼 교룡두는 언제 돌아오시오?"

"글쎄요. 워낙 바람 같으신 분이라……."

여인은 고개를 외로 꼬며 잠시 생각하다가 입을 열었다.

"닷새 전에 호광성의 분회(分會)들을 둘러본다며 출타하셨으니까 아무래도 한 달은 넘게 걸리지 않으실까요?"

"흠."

송강우는 뭔가 마땅치 않다는 듯 살짝 눈살을 찌푸린채로 다른 교룡회 사람들을 돌아보며 물었다.

"구 소저의 말이 모두 맞소?"

교룡회 사람들은 정중하게 대답했다.

"모두 맞습니다."

"확실히 그녀가 지금 이곳의 책임자입니다."

"좋소."

송강우는 고개를 끄덕이며 말했다.

"그럼 구 소저와 이번 곤륜파 노선배의 난동 사건에 대해 협의하겠소. 곤륜파 노선배가 입힌 피해액에 대한 보상을…… 아, 참. 노선배의 존성대명(尊姓大名)이 어찌되시오?"

송강우가 뒤늦게 생각났다는 듯이 유 노대를 돌아보며

물었다. 그러자 유 노대는 코웃음을 치며 되물었다.

"누가 곤륜파의 노선배인가?"

송강우는 당연하다는 듯이 말했다.

"귀하를 두고 하는 말이오."

송강우는 유 노대를 가리켜 노선배라고 했다가 다시 귀하라고 바꿔 부르기를 반복하고 있었다. 아무래도 마음에 들면 노선배, 그렇지 않으면 귀하라고 부르는 것 같았다.

유 노대는 더 이상 그 호칭에 신경 쓰지 않은 채 담담한 표정을 지으며 말했다.

"나는 내 입으로 곤륜파의 사람이라고 한 적이 없는데?"

"이곳에 도착하자마자 다른 이들에게 들었소. 귀하가 곤륜파의 운룡대팔식을 구사했다고 말이오."

"운룡대팔식? 이게 운룡대팔식인가?"

유 노대는 갑자기 마룻바닥을 박차고 신형을 솟구쳤다. 이내 그의 신형이 까마득하게 높이 솟았다. 그는 허공에서 한 바퀴 선회하며 다시 제자리로 내려섰다.

송강우는 눈살을 찌푸리며 말했다.

"귀하께서 비룡번신의 수법을 사용했다고 했소. 비룡번신은 운룡대팔식 중에서도 성명절기라고 할 수 있는 수법이 아니오?"

"허허허."

유 노대가 너털웃음을 흘리며 말했다.

"비룡번신은 허공에서 한두 번 선회하며 방향을 바꾸는 수법에 불과하네. 내공이 깊고 경공술의 조예가 높은 자라면 얼마든지 할 수 있는 수법이지."

유 노대의 말에 송강우는 더욱 인상을 찌푸리며 물었다.

"그럼 귀하는 곤륜파의 사람이 아니란 말이오?"

"그러네."

"그럼 어느 문파의 존장이시오?"

"내 문파는 강호 무림이고, 내 존장은 모든 무림인일세."

송강우의 눈살이 더욱 찌푸려졌다.

지금 유 노대는 조금 전 송강우가 했던 대답을 비꼬아서 대꾸한 것인데, 그걸 모를 리가 없는 송강우였다. 어지간한 사람이라면 벌컥 발작할 법도 했는데, 의외로 송강우는 화를 내지 않았다.

"경고하건대, 귀하의 소속과 이름을 밝히지 않는다면 큰 화를 입을 수 있소. 그러니 좋은 말로 할 때 말하시오."

송강우는 눈을 부릅뜨며 협박하듯 말했다.

그러자 유 노대도 오기가 발동한 듯 쉽게 자신의 이름이나 소속을 말하지 않았다.

"큰 화라니, 그깟 이름과 소속이 얼마나 대단해서 그걸 밝히지 않는다고 해서 큰 화를 입게 되는 게지?"

"곤륜파라면 명문 정파, 그리고 태극천맹에 소속되어 있는 연합 문파 중 하나요. 그러니 만약 귀하게 곤륜파의 인물이라면 그에 합당한 대우를 해 줄 것이오."

"호오, 합당한 대우라는 게 귀하 운운하는 겐가?"

유 노대가 이죽거렸지만 송강우는 개의치 않고 자신의 할 말을 계속 이어 나갔다.

"하지만 귀하가 끝까지 소속을 밝히지 않는다면 귀하를 사마외도의 인물이자, 곧 태극천맹의 적으로 생각하고 악양 지부로 압송할 것이오."

"허어, 이것 참."

유 노대는 길게 한숨을 내쉬었다.

"수년간 강호를 떠나 있었더니 그동안 태극천맹의 유세가 하늘을 찌르는군그래. 강호의 질서를 유지하고 새외변방(塞外邊方)의 침입을 경계하는 야경꾼 노릇을 하라고 했더니 이건 아예 판관(判官) 노릇까지 하려 드는군."

"마지막으로 경고하겠소."

여전히 송강우는 제 할 말만을 하고 있었다.

때마침 문이 열리고 십여 명의 태극천맹 무사들이 우르르 몰려들었다.

그들은 슬쩍 상황을 둘러보고는 곧바로 병장기를 꺼내

들고 유 노대를 에워쌌다. 그 눈썰미나 유 노대를 포위하는 움직임을 보건대 노련한 경험과 상당한 실력을 겸비하고 있는 무사들임이 분명했다.

주변 상황에 상관없이 송강우는 오로지 유 노대만을 주시하며 말을 이었다.

"소속과 이름을 밝히시오. 밝히지 않는다면 이제부터 태극천맹의 적으로 간주할 것이오."

"허허허!"

유 노대가 크게 웃었다. 바람 한 점 불지 않았는데 그의 수염이 휘날렸다. 그는 가슴을 내밀며 말했다.

"그래, 이제부터 나는 태극천맹의 적이다. 그러니 어떻게 내게 큰 화를 입힐 것이냐?"

송강우는 담담하게 말했다.

"공격하라."

지나가는 말처럼, 혹은 농담처럼 가벼운 말이었다. 하지만 다음 순간, 십여 명의 백의 무사들은 표범과 호랑이처럼 유 노대를 향해 득달같이 덤벼들었다.

그들이 휘두르는 칼과 검이 우웅! 소리를 내며 허공을 가르고 유 노대의 가슴과 어깨, 허벅지를 향해 쑤시고 베어 가고 찔러 갔다.

하지만 유 노대는 이미 그 자리에 없었다. "공격하라."라는 말이 송강우의 입에서 흘러나오는 순간 그는 이미 마룻바닥을 박차고 허공 높이 몸을 솟구친 것이다.

백의 무사들의 무시무시한 공세가 무위로 돌아가려는 찰나, 송강우가 허공을 향해 손을 뻗었다. 일순 그의 손에서 강력한 내력이 담긴 장력이 회오리를 일으키며 뿜어져 나갔다.

허공 높이 솟구쳤던 유 노대는 지체하지 않고 쌍장을 휘둘렀다.

그의 양손에서 벼락같은 장력이 발출되었고, 두 개의 서로 다른 장력은 허공 한가운데에서 정확하게 맞부딪쳤다.

콰아앙!

천지가 진동하는 듯한 굉음이 터졌다. 유 노대는 장력과 장력이 부딪치는 그 탄력을 이기지 못한 듯 더욱더 높게 솟구쳐 올랐다.

반면 송강우의 두 발은 딛고 있던 마룻바닥을 박살 낸채 발목까지 푹 빠졌다.

"허허허! 겨우 이 정도가 큰 화였더냐?"

유 노대는 웃음을 터뜨리며 허공에서 선회하더니 그대로 방향을 바꿔 오 층 양대로 빠르게 내려앉았다. 백의 무사들이 그가 제대로 착지하지 못하도록 검과 칼을 휘두르며 재차 공격을 감행했다.

바로 그때였다.

"헉!"

"윽."

유 노대를 향해 공격을 퍼부으려 하던 백의 무사들이 눈이 까뒤집히더니 그대로 딱딱한 통나무가 된 것처럼 쿵! 하는 소리와 함께 바닥에 꼬꾸라졌다.

"누구냐?"

송강우가 꺾어진 회랑 쪽으로 시선을 돌리며 날카롭게 외쳤다. 다른 이들은 전혀 눈치채지 못했지만 송강우만큼은 확실하게 알 수 있었다. 자신의 수하들을 쓰러뜨린 지풍이 그 방향에서 날아든 것이다.

송강우의 고함이 끝나기가 무섭게 꺾어진 회랑에서 네 명의 남녀가 걸어 나왔다. 손수건으로 입과 코를 가린, 중년 사내들과 중년 여인이었다.

낯선 자들의 갑작스러운 등장에 백의 무사들은 황급히 뒤로 물러나며 진을 형성했다. 몇몇 이들은 쓰러진 제 동료들을 끌어다가 양대 구석진 곳으로 데리고 간 다음 생사 여부를 확인했다.

"마혈을 제압당한 것 같습니다!"

"크게 다친 이들은 없습니다!"

송강우는 그들의 보고를 들으며 입을 열었다.

"네놈들은 누구냐?"

기껏해야 다섯 평도 채 안 되는 양대는 안 그래도 사람들로 북적거려서 제대로 서 있을 공간조차 부족했다.

구미호를 비롯한 열두 명의 교룡회 인물, 그리고 역시 열두 명의 태극천맹 무사들, 송강우와 어느새 안전하게 착지한 유 노대가 있는 공간에 다시 네 명의 남녀가 들어선 것이다.

모두 서른 명이나 되는 이들이 겨우 다섯 평도 안 되는 공간에 모였으니, 무작정 손을 휘두르면 누군가의 **뺨**을 때릴 정도의 대치 간격이 되고 말았다.

"저기요."

긴장된 대치 중, 갑자기 구미호 구염이 웃으며 입을 열었다.

3. 고지식한 성격

사람들이 그녀를 힐끗 쳐다보았다.

"서 있기도 힘들 정도로 좁은 공간에서 굳이 이렇게 있을 바에야 건물 안으로 들어가거나 아니면 저 아래 연무장에서 싸우는 게 어떨까요? 아무래도 그게 여러분들께서 전력을 다해 싸우기 좋을 것 같은데요."

냉정하게 생각하면 맞는 말이다.

하지만 지금 이 상황에서, 어쨌거나 이번 사건의 당사자에 해당하는 교룡회의 책임자가 하기에는 뭔가 묘하고 살짝 어긋난 느낌의 발언이기도 했다.

그래서였다. 그녀를 바라보는 사람들의 눈가에 이채의 빛이 스며든 것은.

'왠지 구미호(九美狐)가 아니라 구미호(九尾狐)라는 별명이 더 잘 어울릴 것 같군.'

유 노대가 저도 모르게 그런 생각을 떠올릴 때였다. 송강우가 그를 돌아보며 입을 열었다.

"구 소저의 말도 나름대로 일리가 있다고 생각하오. 다들 연무장으로 내려가서 다시 시시비비를 가리는 게 어떻겠소?"

유 노대가 그를 바라보자 송강우는 계속해서 말을 이어나갔다.

"행여 이곳에서 도망칠 생각이라면 꿈도 꾸지 마시오. 태극천맹의 모든 전력을 기울여서 반드시 귀하와 귀하를 도와준 저 해괴망측한 복면인들을 잡을 테니까. 그때는 본 맹의 지저갱이라는 곳이 얼마나 무시무시한 곳인지 직접 경험하게 될 것이오."

지저갱은 동정호의 수백 개 섬 중 한 곳에 위치한 태극천맹의 감옥으로, 그곳에는 공적십이마나 구천십지백사백마 등 중죄인들이 갇혀 있었다.

한 번 갇히면 죽은 후에도 빠져나올 수 없는 곳이라 하여 지저갱이라 불렸지만 수년 전, 딱 한 차례 그곳의 경비가 뚫리고 죄수들이 빠져나간 적이 있었다.

태극천맹의 입장에서 보자면 치욕적인 참사였는데, 그 참사를 일으킨 주인공이 바로 이 자리에 있었다.

화군악은 송강우가 지저갱은 언급하며 위협하자 저도 모르게 피식 웃음을 흘렸다. 유 노대 너머로 화군악의 그런 모습을 본 송강우가 눈살을 찌푸리며 입을 열었다.

"내 경고가 우스운가?"

화군악은 어깨를 으쓱거리며 말했다.

"아니, 우습지 않아."

송강우가 호랑이의 그것처럼 두 눈을 부릅뜨며 말했다.

"그런데 왜 웃었지?"

"당신이 우스워서."

"내가 우습다고?"

"그래. 그 알량하다 못해 한심스러운 태극천맹의 지부주 따위가 감히 우리에게 경고하고 협박하는 게 우스운 게 당연하잖아?"

"본 맹의 지부주는 만인이 우러르는 자리다. 네놈이 세상 물정을 전혀 모르는구나."

"나는 그 만인 중의 한 명이 아니거든. 나는 태극천맹의 지부주를 깔보는 수천만 명 중의 한 명이지."

화군악의 말에 저도 모르게 웃음을 터뜨리는 자들이 있었다. 구미호 구염이 대표적인 경우였는데, 송강우가 말한 만인(萬人)을 꼭 집어서 일만(一萬) 명이라고 평가절하한 언어유희를 빠르게 이해했던 것이다.

하지만 웃음을 터뜨린 이들은 이내 정색하며 송강우의 눈치를 살폈다. 송강우의 귓불이 살짝 붉어졌는데, 그렇다고 이성을 잃을 정도로 화가 난 건 아닌 듯했다.

"얼굴을 내보이지 못할 정도로 떳떳하지 못한 주제에 그래도 말꼬리를 잡는 재주는 있는 것 같구나."

송강우가 자신을 노려보며 말하자 화군악은 다시 어깨를 으쓱거리며 말을 받았다.

"어디 말꼬리를 잡는 재주만 있겠나? 태극천맹 지부주를 때려잡는 재주도 있지."

"그 말 후회하게 될 게다."

"물론 후회야 지금도 하는 중이다. 어쩌다가 이깟 악양 지부주와 친구가 된 것처럼 허물없이 대화를 나누고 있는지 말이다. 감히 나를 제대로 쳐다보지 못할 정도로 수준 낮은 친구인데 말이지."

"킥킥."

숨죽여 웃는 소리가 또다시 송강우의 등 뒤에서 흘러나왔다. 예의 그 구미호 구엽의 웃음소리였다.

"내려와라."

송강우는 이를 갈듯 말했다.

"다른 놈들은 몰라도 네놈만큼은 반드시 지저갱이 얼

마나 무서운 곳인지 똑똑히 가르쳐 줄 터이니."

송강우는 그리 말하고는 곧바로 오 층 전각 아래로 뛰어내렸다.

그의 옷자락이 세차게 펄럭이면서 추락하듯이 빠르게 떨어졌다. 그 속도로 지면에 내려선다면 그 충격을 감당하지 못한 발과 무릎의 뼈가 산산조각이 날 상황, 송강우는 두 손을 뻗어 지면을 향해 장력을 발출했다.

콰앙!

요란한 굉음과 함께 흙먼지가 사방을 뒤덮었다. 송강우는 지면을 내리친 반탄력을 이용하여 추락하던 속도를 줄인 후 안전하게 연무장에 착지했다.

"호오, 제법이네."

오 층 양대에서 그 광경을 지켜보던 화군악이 턱을 쓰다듬으며 중얼거렸다.

"뭐하느냐? 얼른 내려오지 않고! 설마 이 정도 거리도 내려오지 못하고 벌벌 떠는 건 아니겠지?"

송강우가 소리치자, 화군악은 피식 웃었다. 그러고는 아예 그는 신경도 쓰지 않은 채 고개를 돌려 구미호 구염을 바라보며 입을 열었다.

"구미호라고 하셨던가?"

구미호는 활짝 웃으며 말했다.

"네. 아홉 개의 아름다움을 가졌다고 해서……."

"아니, 그건 이미 엿들어서 잘 알고 있소. 어쨌든 오늘은 날이 아닌 것 같으니 다음에 자리를 만들어서 제대로 이야기해 보기로 합시다."

구미호는 화군악의 말에 뭔가를 느꼈는지 고개를 갸웃거리며 물었다.

"설마 이대로 도망가시려고요?"

"하하하."

화군악은 유쾌하게 웃었다.

"제대로 하자면 도망이라고 하기보다는 전략적 후퇴라는 말이 더 어울릴 것 같은데. 뭐, 보기에 따라서는 도망이라고 할 수도 있겠구려."

"아래에서 송 지부주가 저렇게 당신을 기다리는데, 사내가 되어서 비겁하게 도망칠 생각이라고요?"

"싸우기 싫어서 물러나는 게 비겁하다면 얼마든지 비겁해지겠소. 게다가 애당초 지부주 따위와 싸울 정도로 한가한 몸도 아니오."

"지부주 따위라니요? 언제 한 번 태극천맹의 지부주와 싸운 적이라도 있었나요?"

"아, 예전에……."

화군악은 말을 하려다가 입을 다물었다. 얼렁뚱땅하다가 그만 구미호의 화술에 넘어가 자신의 내력까지 말할 뻔했던 것이다.

'역시 이 여인, 절대로 평범하지 않다.'

화군악은 다시 한번 구미호를 바라보았다.

그녀가 평범하지 않다는 건 잘 알고 있었다. 평범한 여인이라면 절대로 유 노대와 같은 절정 고수 앞에서 이렇게 태연할 수는 없었을 테니까.

그녀는 유 노대와의 대화를 주도했으며, 또한 송강우가 있을 때도 전혀 움츠러들거나 밀리지 않고 자신의 생각을 또박또박 이야기했다. 심지어 대화 중간에 끼어들면서까지 제 의견을 밝히기도 하지 않았던가.

'교룡회라고 해서 일개 하오문 집단이라고 생각했는데 이런 여걸을 만나게 되는군.'

화군악이 그런 생각을 할 때였다. 장예추가 헛기침을 하며 입을 열었다.

"송강우라는 자가 꽤 화가 난 것 같은데, 더 발작하기 전에 그만 자리를 뜨지?"

"아, 미안."

화군악은 웃으며 말했다.

"그럼 송 지부주에게 안부를 전해 주시오. 우리는 이만 물러날 터이니."

그때였다. 유 노대가 한 걸음 앞으로 나서며 말했다.

"교룡두에게 전해 주게."

구미호는 미소를 지으며 말했다.

"말씀하세요."

유 노대는 구미호의 여우 같은 얼굴을 똑바로 바라보며 말했다.

"그가 오룡두를 해친 책임에 대해서 반드시 묻겠다고 말일세."

구미호는 표정 변화 없이 물었다.

"그럼 누가 그리 전하라고 했다고 할까요?"

유 노대는 살짝 망설이다가 대답했다.

"오룡두의 옛 지인이라고만 전하게."

"알겠어요. 돌아오시면 꼭 그리 전할게요."

유 노대는 가만히 그녀를 노려보다가 바람 소리 세차게 몸을 돌렸다. 화군악과 장예추들은 회랑을 따라 건물 뒤쪽으로 달려갔다.

"어딜 도망치려 하느냐!"

지켜보고 있던 태극천맹의 무사들이 무기를 휘두르며 달려들었다.

그 순간, 화군악이 뒤도 돌아보지 않고 손을 뻗었다.

콰앙!

이내 백의 무사들이 달려오던 회랑이 무너졌다. 백의 무사들은 달려오던 기세를 이기지 못하고 하마터면 그 무너진 회랑 아래로 추락할 뻔했다.

그들은 난간을 붙잡거나 혹은 억지로 발을 멈추는 등

아슬아슬하게 무너진 회랑 앞에서 멈춰 섰다. 화군악 일행은 그 틈을 이용하여 건물 뒤쪽으로 사라졌다.

"비겁한 놈들!"

연무장에서 그 광경을 본 송강우가 크게 분노하여 소리쳤다.

"그렇게 도망친다고 해서 본 맹의 천라지망을 벗어날 줄 아느냐!"

그는 허공을 향해 주먹을 휘두르며 연신 외쳤다.

"악양 지부의 모든 인원을 동원하고 태극감찰밀, 그리고 호광성의 모든 지부를 통해 네놈들을 반드시 잡을 것이다! 지저갱의 무서움을 똑똑히 보여 줄 것이다!"

이미 오 층 전각에서 뛰어내려 골목으로 들어선 화군악 일행이었지만, 송강우의 그 고함은 똑똑히 들을 수가 있었다. 나찰염요가 말에 올라타며 피식 웃었다.

"재미있는 사람이네요."

담우천도 말에 오르며 대꾸했다.

"아주 고지식한 성격이더군. 원리원칙에 충실하고 태극천맹에 충성하는, 뭐 그런 사람도 있어야 하는 거겠지."

"흥!"

유 노대가 코웃음을 치며 말했다.

"고지식한 성격을 가진 자라면 윗사람도 몰라보고 함부로 말을 해도 되는 겐가?"

아무래도 송강우가 귀하 운운했던 게 꽤 기분이 나빴던 모양이었다.

화군악도 웃으며 말했다.

"확실히 유 노대의 말씀이 옳아요. 성실하기는 하지만 완고하고 요령이 없는 자라고요. 그렇게 꽉 틀어막힌 자는 결국 제 명에 못 죽을 거라는 데 은자 한 냥을 걸겠어요."

유 노대가 재차 코웃음을 치며 말했다.

"은자 한 냥? 나는 은자 천 냥을 걸겠다."

화군악은 웃음을 참으며 물었다.

"그나저나 왜 혼자서 교룡회로 쳐들어간 겁니까? 진짜로 교룡두를 만나 왜 오룡두를 해치웠는지 따지시려 했던 겁니까?"

"그러면 안 되냐?"

유 노대가 불퉁스럽게 대꾸할 때, 장예추가 주위를 살피며 말했다.

"우선 자리를 뜨고 나서 이야기하죠. 태극천맹과 교룡회 무사들이 쫓아오는 기척이 제법 가까워졌습니다."

"그래요. 그럼 다들 뿔뿔이 흩어져서 도주하죠. 만날 장소는 악양부 서쪽에 있는 호화대객잔(豪華大客棧)입니다. 이름과는 전혀 다른 객잔인데, 정확한 위치는……."

"됐다. 우리는 알아서 찾아가마."

담우천의 말에 화군악은 고개를 끄덕이며 말했다.

"그럼 이따 뵙겠습니다."

그 말을 신호로 화군악과 장예추, 유 노대는 서로 다른 방향으로 신형을 날렸다. 담우천과 나찰염요도 교룡회를 빙 돌아서 서쪽으로 말을 몰았다.

담우천은 나찰염요에게 손수건을 돌려주며 물었다.

"그나저나 손수건은 왜 이리 많이 가지고 있는 거야?"

나찰염요가 싱긋 웃으며 말했다.

"원래 여인들이란 준비성이 철저한 종족들이거든요."

"하지만 손수건이라는 게 그렇게 많이 필요한가?"

"물론이죠. 땀을 닦을 때도 필요하고 더러운 걸 집을 때도 필요하고 화장을 지울 때도 필요하고…… 그리고 지금처럼 얼굴을 가리고 신분을 숨길 때도 필요하고요."

담우천은 저도 모르게 미소를 지으며 고개를 끄덕였다.

"그렇군. 확실히 그 용도가 많은 손수건이군그래."

나찰염요는 방긋 웃고는 이내 요염하고 끈적거리는 어조로 소곤거렸다.

"그리고 느닷없이 벌어질지도 모르는, 아주 은밀한 행사의 뒤처리를 위해서도 필요하답니다."

일순 담우천의 얼굴이 살짝 붉어진 것처럼 보인 건 역시 나찰염요의 착각이었을지도 모른다.

3장.
협객(俠客)의 시대(時代)

정사대전 이후로 협객의 시대가 저물어 가고 있는 작금,
유 노대와 같은 이들이 바로
그 협객의 시대가 배출한 마지막 세대(世代)가 되는 셈이리라.

1. 호화대객잔(豪華大客棧)

악양부 서쪽, 커다란 사거리를 지나서 오른쪽으로 꺾어
돌아간 후미진 곳에 호화대객잔이 자리를 잡고 있었다.

호화대객잔은 그 휘황찬란한 이름과는 달리 오래된 건
물의 이 층 객잔으로, 평범한 요리를 팔고 평범한 잠자리
를 제공하는 곳이었다.

심지어 마구간도 없어서 말을 타고 온 손님들은 인근
마장(馬場)이나 다른 마구간이 있는 객잔에 사용료를 내
고 말을 맡겨야 했다.

그럼에도 불구하고 제법 손님이 끊이지 않는 까닭은 이
호화대객잔에서 먹고 마시고 잠자는 비용이 일반 다른

객잔에 비해 상당히 저렴했기 때문이었다.

게다가 사 대(代)를 이어 오는 동안 수많은 단골을 확보한 데다가 사 대째 주인장의 아내가 워낙 싹싹하고 곰살맞아서 그녀를 찾는 손님들이 제법 늘고 있는 까닭이기도 했다.

"어서 오세요."

일반 객잔과는 달리 삼십 대 초반의 여주인이 계산대에서 환한 미소를 머금고 들어오는 손님을 반겼다.

"어머나, 왕 대인 아니세요?"

여주인은 탁월한 기억력과 눈썰미로 딱 한 번, 한 달 전 잠시 들렀던 손님의 얼굴과 이름까지 기억하며 환대했다.

그런 대접을 받은 손님은 '어라? 내가 이 객잔의 단골이었나?' 하면서 살짝 어깨를 으쓱거리게 된다.

"일전에는 바쁘시다고 우육면만 드시고 가셨는데, 오늘은 시간이 어떠세요? 여유가 있으시다면 우리 객잔의 최고 요리를 맛뵈어 드리고 싶은데요."

맑고 고운 미소를 입가에 머금은 채 그렇게 말하는 여주인의 제안을 거절할 손님은 아무도 없었다. 한 달 전처럼 오늘도 우육면 한 그릇이나 먹을까 하고 찾아왔다가, 예정에도 없는 값비싼 요리를 먹게 되었으면서도 손님은 즐겁고 행복한 기분이 들었다.

객잔의 점소이들도 안주인의 영향, 혹은 그렇게 교육을 받았는지 늘 웃는 얼굴로 친절하고 싹싹하게 시중을 들었다.

손님은 맛이 평범한 요리를 먹으면서도 '나름대로 정성이 들어갔구나.' 하고 생각했으며, 주지 않으셔도 된다는 행하전(行下錢)까지 굳이 챙겨 주며 객잔을 나온다.

그러고도 손님은 '참 좋은 객잔에서 제대로 한 끼 먹었다.'라는 생각을 하면서 유쾌하게 발걸음을 옮기는 것이 바로 이 호화대객잔이었다.

호화대객잔은 별채가 따로 없는 객잔인지라 일 층과 이 층의 용도가 정확하게 구분되어 있었다. 일 층은 식사를 하는 손님들을 받았고, 이 층은 여러 개의 조그만 방으로 구획해서 투숙객들을 받았다.

화군악과 장예추, 유 노대는 이 호화대객잔의 이 층 숙소 중 세 방을 빌린 참이었다.

그들은 서로 다른 경로로 이동했지만 거의 비슷한 시각에 호화대객잔에 당도했다.

"벌써들 돌아오셨어요? 식사는 하셨나요?"

비록 따로따로 들어섰지만, 그들은 여주인으로부터 하나같이 똑같은 질문을 받았다. 그리고 그들 또한 하나같이 여주인에게 똑같은 대답을 건넸다.

"아니, 나중에 하겠소. 아, 잠시 후 한 쌍의 부부가 올

텐데 내 방으로 안내해 주시오."

마지막으로 들어선 화군악이 이 층으로 오르는 모습을 지켜보면서 여주인은 살짝 난감한 표정을 지었다.

'그럼 세 쌍의 부부가 온다는 걸까? 아니면 한 쌍의 부부인데 저마다 자기들 방으로 초대를 하는 걸까?'

의문은 얼마 가지 않아 풀렸다.

화군악이 이 층으로 오른 지 일각도 채 지나지 않아서 말을 탄 한 쌍의 중년 부부가 호화대객잔 앞에 나타났다.

'저 손님들인가 보네.'

여주인은 주렴 너머로 밖을 힐끗 바라보며 생각했다. 점소이가 쪼르르 달려 나가 허리를 굽히며 말했다.

"죄송하지만 저희는 마구간이 없습니다. 따로 마장이나 마구간을 빌려주는 객잔에 말을 맡기셔야 합니다."

중년 사내가 말에서 내리더니 점소이를 향해 묵직한 목소리로 말했다.

"그럼 자네가 맡겨 주게."

점소이는 연신 허리를 굽혔다.

"죄송합니다만 그건 저희 객잔에서 취급하지 않는 용무라서 들어 드릴 수가 없습니다."

"호오, 그건 왜?"

"그야 주변 객잔에서 이 호화대객잔을 눈엣가시로 생각하고 있을 테니까요."

중년 사내가 호기심을 품으며 묻자, 그의 아내로 보이는 아름다운 여인이 말에서 내리며 모든 사정을 알고 있다는 것처럼 이야기했다.

"보기에도 허름하고 규모도 작은 객잔이 호화대객잔이라는 간판을 내건 것도 마음에 안 들 테고, 또 오만 가지 화려하고 맛있는 요리에다가 훌륭한 별채를 가지고 있음에도 불구하고 이곳보다 손님이 떨어지는 것 역시 기분 나쁠 테니까요."

"흠, 내 내자(內子)의 말이 사실인가?"

중년 사내의 물음에 점소이는 연신 고개를 끄덕이며 말했다.

"맞습니다. 바로 그런 이유 때문에 저희가 손님들의 말을 끌고 다른 객잔을 찾아가면 아예 문전박대를 당하고 맙니다. 정말 죄송합니다."

"흠, 꼴불견이군그래. 그 정도 아량과 배포가 없으면서 무슨 장사를 한다고."

중년 사내는 여인을 돌아보며 말했다.

"먼저 들어가 있게. 나는 말을 맡기고 올 테니."

"그럴까요, 그럼."

중년 사내는 곧장 두 필의 말을 이끌고 골목 바깥으로 사라졌다. 여인은 점소이의 안내를 받으며 객잔 안으로 들어섰다.

호화대객잔의 안주인은 언제나처럼 활짝 웃으며 그녀를 반겼다.

"처음 뵙는 손님이시네요. 저희 객잔을 찾아 주셔서 정말 고맙습니다."

안주인은 빠르게 여인의 얼굴과 외모를 훑어보았다. 언제나 새로운 손님을 맞을 때면 늘 그런 식으로 기억했었는데, 이번에는 저도 모르게 그녀의 눈빛이 살짝 흔들리고 말았다.

'진짜 예쁘네. 여자가 봐도 탐스러울 정도의 몸매야.'

안주인은 노련한 그녀답지 않게 잠시 방심했고, 그 바람에 화군악 일행들이 한 쌍의 부부를 기다리고 있다는 사실을 깜빡 잊고 말았다.

여인이 웃으며 물었다.

"혹시 우리를 기다리는 손님이 없었나요?"

"아!"

그제야 안주인은 화군악 등이 부탁한 내용을 떠올릴 수 있었다. 그녀는 이 호화대객잔의 안주인이 되고 난 후 처음으로 실수를 했다는 자책감에 얼굴을 붉히면서 입을 열었다.

"죄송해요. 제가 먼저 말을 꺼냈어야 하는데. 안 그래도 두 분 부부를 기다리는 세 분 손님이 계십니다. 다들 두 분께서 오시면 자기들의 방으로 안내하라고 했는데,

어느 방으로 모실까요?"

안주인조차 마음을 흔들리게 만든 아름다운 여인은 매혹적인 웃음을 보이며 말했다.

"가장 연세 드신 분의 방으로 안내해 주세요."

"네, 그럼 그리 모시겠습니다."

안주인은 점소이를 불러 여인을 유 노대의 방으로 안내하라고 지시했다.

점소이가 여인을 이 층으로 안내했다.

그녀가 계단을 따라오를 때, 일 층 대청에서 식사하고 있던 손님들 대부분이 그녀의 늘씬한 허리와 살랑거리는 엉덩이를 바라보느라 정신을 차리지 못했다.

그 바람에 여인과 함께 온 몇몇 사내들은 탁자 밑으로 내지른 여인의 발길질에 무릎을 걷어차이고 끙끙거려야만 했다.

"이 방입니다."

점소이가 유 노대가 묵고 있는 방 앞에서 걸음을 멈추며 말했다.

"기다리던 손님이 오셨습니다, 어르신."

"들어오시라고 해라."

점소이는 다시 여인에게 말했다.

"들어가시죠."

"고마워요."

여인은 달콤한 향기를 남긴 채 문을 열고 방으로 들어섰다.

"휴우."

그제야 점소이는 길게 한숨을 내쉬었다.

말을 타고 있던 그녀를 처음 본 이후로 지금껏 점소이는 단 한 번도 그녀의 얼굴을 바라보지 않았다. 그녀와 눈이라도 마주치게 되면 그대로 심장이 폭발해서 죽을 것만 같았기 때문이었다.

'금해가 아가씨가 아름답기로 소문이 자자하지만, 이 부인에게는 이길 수가 없을걸.'

점소이는 고개를 설레설레 흔들며 계단을 내려갔다.

한편 여인이 들어선 방 안에는 세 명의 사내, 유 노대와 화군악, 장예추가 앉아 있었다. 여인이 방긋 웃으며 말했다.

"역시 이 방에 모여 있을 줄 알았어요."

화군악이 차탁 하나를 끌어다 놓으며 말했다.

"이리 앉으시죠, 형수."

"고마워요."

여인, 나찰염요가 자리에 다소곳하게 앉았다. 유 노대가 잠자코 그 모습을 지켜보다가 불쑥 입을 열었다.

"뭐 좋은 일이라도 있었나 보군."

"왜요?"

나찰염요가 살짝 고개를 갸웃거리며 물었다. 유 노대는 저도 모르게 헛기침을 하며 대답했다.

"화평장에 있을 때보다 열 배는 더 아름다워진 것 같으이."

열 배는 더 아름다워지고, 스무 배는 더 요염해졌다고까지는 차마 말할 수가 없었다.

"호호, 그런가요? 역시 강호 바람이 좋은 것 같네요."

그녀는 웃으며 말했다.

"바람 좀 쐬니까 그간 답답하게 웅어리져 있던 것들이 다 씻겨 나간 것 같아요. 그래서 나이에 어울리지 않게 조금 더 예뻐 보이나 보네요."

"아뇨. 형수는 아직 이십 대로 보이는데요."

"어머나. 역시 군악 도련님이 말씀은 참 잘하신다니까."

그때 장예추가 의아하다는 표정을 지으며 물었다.

"그런데 강호 바람이라면 일전에도 쐬지 않으셨던가요? 제 아내와 함께 사천당문에 다녀오셨……."

하지만 그는 말을 제대로 끝내지 못했다. 화군악이 그의 옆구리를 툭 치며 눈치를 주었기 때문이었다.

장예추는 영문을 몰라 하는 눈빛으로 화군악을 돌아보다가 뒤늦게 "아!" 하고 탄성을 흘렸다.

나찰염요가 배시시 웃으며 말했다.

"도련님들도 참 짓궂으시다니까."

"뭐가 짓궂은데?"

목소리가 먼저 들리고 문이 열렸다. 말들을 다른 객잔 마구간에 들여 놓고 온 담우천이었다.

나찰염요가 웃으며 고개를 흔들었다.

"아니에요, 아무것도."

담우천은 차탁을 끌어다가 그녀의 옆자리에 앉으며 투덜거리듯 말했다.

"원, 싱겁기는."

그는 곧바로 정색하고서 유 노대를 돌아보며 물었다.

"교룡회와 무슨 일이 있었던 겁니까?"

2. 가족

"나름대로 잘 알고 지내던 사이였네. 비록 소속과 추구하는 이념은 서로 달랐지만 성격과 인품과 인정만큼은 내가 존경할 정도로 훌륭한 친구였네. 한데 교룡두라는 놈이 그런 자를 죽이고 새로운 우두머리가 되었다니, 밤새도록 잠 한숨 자지 못했네."

사람들은 가만히 유 노대의 말을 들었다. 유 노대는 힘없는 목소리로 말을 이어 나갔다.

"아무래도 안 되겠다 싶어서 교룡두의 이야기를 들어 보러 찾아간 거네. 왜 죽였는지, 어떻게 죽였는지, 죽이지 않고서는 해결할 수 없는 일이었는지 묻고 싶었다네. 만약 교룡두가 정정당당하지 않은 방법으로 그들을 죽였다면, 그에 합당한 벌을 내리려 했네."

거기까지 말한 유 노대는 길게 한숨을 내쉬며 말했다.

"하지만 어제처럼 입구에서부터 막아서며 온갖 욕설을 퍼붓는 바람에 그만…… 일이 이렇게나 커져 버렸지 뭔가. 나도 모르게 조금 격앙한 것 같네."

화군악은 물끄러미 유 노대의 얼굴을 바라보면서 상념에 잠겼다.

사실 그의 사고방식으로는 이해가 가지 않는 부분이 여러 군데 있었지만, 그중에서도 가장 이해되지 않는 점이 바로 유 노대가 그토록 슬퍼하고 분노한 부분이었다.

유 노대와 오룡두는 그저 지인 관계에 불과했다.

그들은 의형제를 맺은 사이도 아니었고 그렇다고 죽마고우도 아니었다. 그저 수십 년 동안 몇 차례 만나서 술 한잔을 나누며 서로 안부를 묻고 잠시 대화를 나누던 그런 사이에 불과했다.

하지만 유 노대는 오룡두의 죽음을 외면하지 않았다. 그들을 위해서 슬퍼하고 분노했다. 심지어 그들을 위해서 복수까지 하려 들었다.

'이게 협객(俠客)이라는 건가?'

화군악은 곰곰이 생각했다.

그가 어렸을 적 객잔이나 주루에서 훔쳐 들었던 이야기 속의 협객은 지금의 유 노대와 닮아 있었다.

그 이야기 속의 협객들은 아무 관계도 없는 마을 사람들의 부탁을 받고 산적들을 몰살시키거나, 옆집 사람의 아내의 동생의 친구를 위해 목숨을 걸고 싸우기도 했다.

협객은 자신의 목숨을 초개(草芥)처럼 여겼다. 죽음을 두려워하지 않았다.

그들은 자신이 생각하는 정의를 위해서, 자신을 믿어 주는 사람들을 위해서 언제나 집어 던질 수 있는 목숨이라고 생각했고, 또 그렇게 행동했다.

그러나 세월이 흐르면서 모든 게 변했다. 강호 무림에서도 협객은 사라지고 쭉정이들만 남게 되었다.

조직의 싸움이 치열해지면서 개개인의 능력이나 성품보다는 얼마나 방대한 조직으로 만들 수 있느냐 하는 게 더 중요해졌다. 절정 고수가 되는 것보다 한 조직의 우두머리가 되는 게 더더욱 사람들의 칭송을 받았다.

아무리 뛰어나다 하더라도 결국 개인은 조직의 힘으로 누를 수가 있었다. 천하제일의 고수가 목숨을 걸고 발버둥을 쳐도 수천수만의 인원이 똘똘 뭉친 조직을 이길 수가 없게 되었다.

그리하여 강호 무림의 쭉정이들은 돈도 안 되는 일에 목숨을 걸고 싸우기보다는, 돈을 위해서 타인의 밑으로 들어가서 싸우기 시작했다.

돈과 조직이 세상을 지배하는 시대.

지금의 강호 무림은 그런 시시한 세상이 되었다.

'마지막 협객인 거지.'

화군악은 내심 고개를 끄덕이며 중얼거렸다.

정사대전 이후로 협객의 시대가 저물어 가고 있는 작금, 유 노대와 같은 이들이 바로 그 협객의 시대가 배출한 마지막 세대(世代)가 되는 셈이리라.

'이제 정녕 협객은 이야기 속에서만 존재하게 되겠네.'

그런 생각을 하자 화군악은 어쩐지 처연하고 아련한 기분이 들었다.

화군악이 그런 생각을 하고 있을 때, 유 노대는 갑자기 자리에서 일어나 손을 모으고 고개를 숙였다.

"미안하네."

사람들은 그의 갑작스러운 사과에 깜짝 놀랐다.

"내 만용과 충동에 의해 괜히 자네들까지 끌어들이게 되었네. 정말 미안하게 생각하네."

"아닙니다!"

화군악이 누구보다도 먼저 소리쳤다.

"그게 왜 미안해하고 사과하실 일인데요? 절대 그렇지

않습니다. 유 사부는 해야 할 일을 하셨을 뿐이고, 우리
또한 해야 할 일을 한 것뿐입니다. 그러니 미안해하실 것
도, 사과하실 것도 없습니다."

사람들의 눈이 휘둥그레졌다.

화군악이 저렇게 정색하고 진지하게 이야기하는 건 상
당히 드문 일이었다.

언제나 웃으며 농담 반, 진담 반으로 사람들을 웃기거
나 혹은 부아를 치밀게까지 하는 재주가 있는 그가 지금
은 진심으로 유 노대를 생각하고 걱정해서 말하고 있는
것이다.

"흠, 나도 그리 생각합니다."

담우천이 고개를 끄덕이며 화군악의 말을 받았다.

"우리는 가족과도 같은 사이가 아니겠습니까? 굳이 미
안하다고 하지 않으셔도, 또 사과하지 않으셔도 됩니다.
가족이라는 건 서로에게 폐를 끼치기도 하고, 또 서로를
도와주면서 아옹다옹하는 거라고 배웠으니까요."

담우천에게는 가족이 없었다.

납치를 당했는지 혹은 팔렸는지는 모르겠지만, 갓난아
이 시절부터 그는 무적가가 만들어 낸 약육강식의 세계
에서 홀로 버티고 지금까지 살아남았다.

그에게 가족이라는 개념을 가르쳐 주고, 직접 행동으로
보여 준 건 십삼매의 사촌 언니인 자하였다.

만약 자하가 없었다면 담우천은 여전히 세상의 모든 것들을 적으로 돌린 채 한 마리의 들개처럼 강호를 돌아다니며 살육을 자행했을 것이다.

담우천의 말이 끝나자 장예추와 나찰염요도 한마디씩 거들며 유 노대를 위로했다. 유 노대는 눈물이 글썽거리는 얼굴을 애써 외면하며 코를 킁킁거렸다.

"먼지가 들어갔나? 왜 이리 눈이 침침하누?"

화군악이 쾌활한 표정으로 말했다.

"아, 그거 먼지가 아니라 눈물이에요. 원래 늙으면 눈물이 많아진다고 하더라고요. 사부가 그랬거든요."

그는 언제 진지했느냐는 듯이 깐족거리면서 말했다. 유 노대는 짐짓 눈을 부라리면서 투덜거렸다.

"네놈의 말에 잠시라도 감동한 내가 못난이다."

"못난 걸 이제 아셨어요?"

"허어, 말하는 것하고는."

유 노대는 혀를 차다가 다시 정색하며 사람들을 둘러보았다.

"어쨌든 그리들 생각해 주니 정말 고맙네. 정말 하늘에게 감사해야겠구나. 늘그막에 이렇게 따스한 정을 느낄 수 있는 가족이 생기다니, 아! 군악, 네 녀석은 제외하고 말이다."

화군악이 다시 이죽거리려 할 때 장예추가 그를 말리며

먼저 입을 열었다.

"송강우라는 자가 악양 전체에 태극천맹의 사람들을 풀었을 겁니다."

일순 분위기가 갑자기 진지해졌다. 사람들은 진중한 얼굴로 장예추의 다음 말을 기다렸다.

"비록 태극천맹이 예전과 같지는 않다고 하더라도 천라지망이 펼쳐진 이상, 아무래도 쉽게 움직이기 힘들 겁니다. 이 상황에서 우리가 할 수 있는 일은 크게 세 가지 정도로 생각됩니다."

"세 가지씩이나 돼?"

화군악이 끼어들었지만 장예추는 개의치 않고 계속해서 말을 이어 나갔다.

"하나는 이대로 성도부로 돌아가는 것. 가장 쉬운 방법이기는 합니다만 보주들을 팔지 않은 상황이라는 게 아무래도 아쉽습니다. 참, 담 형님은 어떻게 처리하셨습니까?"

장예추의 질문을 받은 담우천은 담담한 어조로 형산파에서 있었던 일들을 간략하게 설명했다. 눈을 휘둥그레 뜬 채 이야기를 듣던 화군악은 담우천의 설명이 끝나기가 무섭게 소리쳤다.

"아니, 왜 그러셨답니까? 은자 백만 냥 이상의 가치를 지닌 고서화들을 공짜로 넘기셨다니요? 저 같았으면 형산파의 절반, 아니 최소한 백 명 이상의 무인들을 노예처럼 부릴 수 있도록 했을 텐데요."

"아니, 그건 확실히 담 형님이 옳아. 잘 결정하신 거야."

장예추의 말에 담우천이 살짝 아쉬운 표정을 지으며 말했다.

"그때는 잘 결정했다고 생각했는데 이럴 줄 알았으면 제값 받고 팔 걸 그랬나 보다."

"아닙니다. 충분히 잘하셨습니다. 형산파에게 무형의 빚을 지게 한 건 훗날 우리에게 큰 도움이 될 수 있을 테니까요."

"잠깐만."

다시 화군악이 끼어들었다.

"아무리 마음의 빚을 지게 했다고 하지만, 그들이 외면하면 아무 소용 없는 빚이잖아? 계약서를 쓴 것도 아니고, 각서를 받은 것도 아닌데."

"그건 네가 명문 정파의 자존심이라는 걸 몰라서 하는 말이야."

장예추가 차분하게 설명했다.

"명문 정파의 자존심이라는 건, 특히 구파일방급에 해당하는 거대 문파의 자존심은 우리가 생각하는 것 이상으로 대단하거든. 형산파만 봐도 알 수 있잖아?"

"흠."

"형산파는 그 자존심과 자긍심을 지키기 위해서 저 구파일방의 자리에서 내려오겠다고 선언하고, 또 태극천맹에서 완전히 탈퇴했지. 심지어 오대가문과 척을 지는 상황도 전혀 마다하지 않았잖아?"

장예추의 세세한 설명에도 불구하고 화군악은 동의하지 않은 채 여전히 반론을 펼쳤다.

"하지만 그 바람에 돈이 궁하게 된 것도 사실이고, 그 텅 빈 재정을 어떻게든 메우려고 형산파 제자들이 동네방네 돌아다니면서 돈을 구걸한 것도 사실이잖아? 그건 자존심이나 체면과 상관없는 일이야?"

"물론 자존심과 체면이 깎이기는 하겠지."

장예추는 고개를 끄덕이며 말했다.

"하지만 그들이 돈을 구걸하려던 상대는 어디까지나 속가 제자들이었다고. 즉, 자신들의 가족이자 식구라고 생각하는 이들에게 돈을 빌리려고 했던 거니까, 나름대로 자존심을 지키려고 한 거야."

화군악이 이해가 가지 않는다는 얼굴로 입을 열려고 했지만 장예추는 계속해서 말을 이어 나갔다.

"만약 그들이 마지막 남은 자존심까지 버리려고 했다면, 속가 제자들을 찾아가는 게 아니라 구파일방이나 태극천맹을 찾아갔을 거야. 그리고 허리를 굽혀 자신들의 짧은 생각을 사과하고 다시 구파일방의 일원으로, 태극천맹의 조직원으로 들어가겠다고 빌었겠지."

"으음, 그건 정말 하기 싫었겠다."

화군악은 그제야 장예추의 말에 어느 정도 동의한다는 듯 인상을 찡그리며 고개를 끄덕였다.

"그래."

장예추도 고개를 끄덕이며 말했다.

"그렇게 하지 않은 것이 형산파의 마지막 남은 자존심이었던 거야."

3. 파사현정(破邪顯正)

"그런데 때마침 담 형님이 고서화를 기부함으로써 형산파는 몇 년간 융통할 수 있는 재정이 마련된 거야."

장예추의 말이 계속해서 이어졌다.

"형산파의 처지에서 보자면 속가 제자들을 만나러 돌아다니며 허리를 굽히지 않아도 되고, 무엇보다 마지막 자존심까지 버려 가면서 구파일방과 태극천맹을 찾아가지 않아도 되게 된 거지."

"그건 그렇지."

"맞아. 그리고 그건 정말 형산파에게 있어서 쉽게 감당할 수 없을 정도로 큰 은혜인 거야. 자신들의 자존심을 살릴 수 있고, 체면도 구겨지지 않게 되었으니까."

"흠. 그래, 거기까지는 이해해. 하지만 그것과 형산파가 우리를 도와줄 거라는 건 전혀 다른 문제잖아?"

"전혀 다른 게 아냐. 같은 거지."

장예추는 차분한 표정으로 설명했다.

"형산파는 담 형님에게 유형이든 무형이든 어쨌든 확실하게 빚을 졌고, 또 쉽게 갚을 수 없는 은혜를 입었다고 생각할 거야."

"흠."

"그런 상황에서 훗날 담 형님의 부탁을 거절한다면 그 또한 그들의 자존심과 체면에 금이 가게 되는 거지. 무엇보다 그들이 내세우는 정의와 규칙에 어긋나게 되니까."

"도대체 그들이 내세우는 정의와 규칙이라는 게 뭔데."

"간단해. 파사현정(破邪顯正). 그게 모든 명문 정파의 정의이자 규칙인 거야."

파사현정은 곧 그릇된 것을 깨고 바른 것을 드러낸다는 뜻이었다. 또한 어긋나는 생각을 버리고 올바른 도리를 따른다는 의미도 있었다.

더불어, 욕심과 욕망, 탐욕에 얽매이는 마음을 타파하면 곧 바르게 되고 깨우칠 수가 있다는 진리도 포함되어 있는 사자성어였다.

장예추는 계속해서 말했다.

"그 파사현정에는 수많은 뜻이 담겨 있고, 오랜 관행과 경험을 통해 만들어진 규칙이 함축되어 있어."

그는 잠시 생각하다가 말을 이었다.

"가령 예를 들자면 '은혜와 빚은 몇 배로 불려서 반드시 갚아 준다'라는 것이나 '벗을 위해서는 목숨을 개의치 않는다'라는 것. 혹은 '부모와 사부와 사문은 하나다' 하는 것들이 말이지."

화군악은 입을 벌린 채 장예추의 말을 듣다가 문득 떠오르는 바가 있었다.

'어라? 그건 조금 전에 내가 생각했던 협객과도 일맥상통하는 거잖아?'

순간적으로 그의 상념이 깊어졌다.

'그렇다면 과거의 명문 정파 사람들이 곧 협객이었던가? 아니면 먼 옛날부터 존재하던 협객이라는 의미를 명문 정파 사람들이 완성시킨 것일까? 그것도 아니라면 협객을 추앙하여 모인 집단이 곧 명문 정파가 된 걸까?'

하지만 화군악은 이내 고개를 휘휘 내저었다. 지금은 그런 생각을 할 때가 아니었다.

"방금 예추가 한 말이 사실인가요?"

그는 유 노대를 돌아보며 물었다. 유 노대는 가벼운 한숨과 함께 입을 열었다.

"그래. 과거에는 확실히 그런 게 강했지. 벗의 곤궁함을 위해서 십시일반 돈을 모으기도 했고, 벗의 억울함을 벗기기 위해 사방팔방 뛰어다니기도 했으며, 벗의 복수를 위해 목숨을 걸고 싸우기도 했지. 하지만…….″

유 노대는 씁쓸한 표정을 보이며 말을 이어 나갔다.

"하지만 시대가 바뀌면서 그런 것들도 사라졌네. 돈이 여러 목표 중 하나가 아닌 삶의 목적이 되고, 조직의 세력이 개인의 능력을 앞서게 되면서부터 모든 게 달라졌지. 가치도 변화하고 삶도 핍박해지고 퍽퍽해졌네. 요즘 같은 세상에서 나 같은 늙은이는 그저 뒷방 노인네에 불과하지.″

화군악은 유 노대의 이야기 역시 조금 전 자신이 떠올렸던 것들과 하나로 이어진다는 생각이 들었다.

결국 지금 살아가는 이 세상은 협객이 사라져 가는 시대가 된 게 분명했다.

'하아, 이것 참. 내가 무슨 학사(學士)도 아닌데 이런 생각을 다 하게 되네.'

화군악이 속으로 중얼거릴 때, 잠자코 있던 장예추가 다시 입을 열었다.

"어쨌든 형산파는 반드시 담 형님의 부탁을 들어줄 수밖에 없어. 그게 그들의 자존심이고 체면이니까.″

장예추는 힘주어 말을 이었다.

"또한 굳이 구파일방과 태극천맹과 척을 지면서까지

지키려 했던 자긍심이니까. 그러니 은자 백만 냥으로 형산파 전체의 힘을 얻을 수 있다는 건 그야말로 횡재에 가까운 거래라고 할 수 있어."

이번에는 화군악도 반론을 펴지 않았다.

그는 장예추와의 대화를 통해서 그가 이해하지 못했던 명문 정파의 자존심과 긍지라는 게 어떤 것인지 대충 감을 잡을 수 있었다.

그리고 그 자존심과 긍지가 옛이야기에 나오는 협객의 행동이나 가치관과 이어지고 있다는 것도 알게 되었다.

잠시 화군악의 반응을 기다리던 장예추는 그가 아무런 말도 하지 않는 걸 보고 타박하듯 말했다.

"너 때문에 괜히 이야기가 길어졌어."

"응? 아, 미안."

상념에 잠겨 있던 화군악이 성의 없는 사과를 했고, 장예추는 그를 한 번 노려본 다음 다시 말을 이어 나갔다.

"어쨌든 우리가 취할 수 있는 첫 번째 방법은 이대로 성도부로 되돌아가는 겁니다. 그리고 두 번째 방법은 조 영감이 물주를 찾을 때까지 쥐죽은 듯이 숨어 있다가 거래를 성사하고 돌아가는 겁니다."

그때 담우천이 고개를 갸웃거리며 물었다.

"조 영감? 설마 남창부의 조 영감?"

그러자 화군악과 장예추도 놀란 눈빛으로 그를 바라보

왔다.

"어라? 아시는 사람입니까? 자기 말로는 남창부에서 꽤 유명했다고 하던데."

"지금은 조민이라는 기녀에 푹 빠진 한량에 불과하지만 말입니다."

"그래. 그 기녀를 따라서 남창부에서 이곳 악양부로 이사를 했다더군."

"그럴 줄 알았어요. 아주 그 기녀에게 홀린 것처럼 푹 빠져 있더라고요."

"그럼 담 형님이 그를 아시는 것 같으니 여쭤보겠습니다. 그 사람, 믿을 만한가요?"

"조 영감에 대해서라면 나보다 이 사람이 더 잘 아네."

담우천은 나찰염요를 돌아보았고 그녀는 방긋 웃으며 입을 열었다.

"화평장에 오기 전까지 꽤 많은 거래를 했는데 단 한 번도 실망시킨 적이 없는 사람이에요. 일머리에 대해서는 확실하다고 할 수 있어요. 단지 아름다운 여인을 보면 정신을 차리지 못하는 면이 있기는 하죠."

"호오. 그 말은 지금 당신 입으로 당신이 아름다운 여인이라고 하는 것 같은데."

"그건 사실이니까요."

나찰염요가 농담처럼 웃으며 말했다. 하지만 방에 있는

사내들 중 누구 하나 그녀의 말에 반박하지 못했다. 그녀는 살짝 눈살을 찌푸리며 말을 이었다.

"그나저나 확실히 마음에 들지 않네요. 평생 오직 나만을 바라보겠다고 맹세까지 해 놓고서, 그렇게 쉽게 배신하다니 말이에요."

화군악과 장예추가 눈을 동그랗게 떴다. 담우천이 담담하게 미소를 지으며 말했다.

"그야 당신이 전혀 빈틈을 보여 주지 않았으니까 조 영감도 결국 포기한 거겠지."

"아무리 그래도 그건 아니죠. 정식으로 나를 찾아와서 단념하겠다고 말을 한 것도 아니고 말이에요."

"흐흠."

장예추가 헛기침을 하며 사람들의 주의를 환기시키자, 나찰염요는 살짝 미안하다는 듯 미소를 지었다.

장예추는 계속해서 입을 열었다.

"마지막으로 세 번째 방법은 태극천맹의 천라지망을 무시하고 다시 교룡회를 찾아가 교룡두를 만나는 겁니다. 오룡두의 복수까지는 아니더라도 유 사부의 답답한 마음은 풀어야 할 테니까요."

거기까지 말한 장예추는 문득 싱긋 웃으며 덧붙여 말했다.

"물론 저는 세 번째 방법을 선택하겠습니다."

"나도 세 번째."

화군악도 당연하다는 얼굴로 고개를 끄덕이며 말했다.

"이대로 도망치듯 성도부로 돌아가는 건 바보 같은 짓이고, 죽은 듯 숨어 있는 것도 마음에 안 들어. 차라리 죽이 되든 밥이 되든 한바탕 일을 벌이는 게 훨씬 더 내 성격에 맞으니까. 무조건 세 번째가 좋아."

담우천과 나찰염요도 고개를 끄덕였다. 이제 남은 사람은 유 노대 혼자였다.

"허어."

유 노대는 전혀 생각하지도 못했다는 듯한 얼굴로 네 명을 돌아보았다.

비록 말은 저렇게 하지만 결국 네 명 모두 유 노대의 응어리진 마음을 풀어 주기 위해서 세 번째 방법을 선택한 것임을 그가 왜 모르겠는가.

유 노대는 울컥해진 마음을 애써 추스르며 입을 열었다.

"하지만 지금 교룡회에는 교룡두가 없다네. 호광성의 각 지부를 순찰하고 있는 중이라더군."

"예? 그 말을 믿으셨습니까?"

화군악이 놀라 묻자, 유 노대도 놀라 되물었다.

"응? 그럼 그게 거짓말인가?"

"아휴. 순진하기도 하셔라. 그 여우 같은 계집의 말을 진짜로 믿으셨나 보네요."

화군악은 고개를 설레설레 흔들었다. 장예추도 한마디 거들었다.

"그녀의 이야기 중 최소한 절반은 거짓말이었을 겁니다."

나찰염요가 눈을 동그랗게 뜨며 말했다.

"절반이요? 나는 칠 할 이상으로 봤는데."

"허어, 그렇게나 거짓말을 한 건가? 그렇다면 교룡두가 그곳에 있었을지도 모르는군그래. 도대체 누가 교룡두였을까?"

"아니, 유 사부께서는 교룡두와 계속 이야기를 나눠 놓고도 모르시는 겁니까?"

화군악의 말에 유 노대는 믿을 수 없다는 듯 입을 벌렸다.

"그녀가 교룡두? 아니야, 아니네. 분명 그녀 입으로 자신은 교룡두가 아니라고 했거든."

"아휴, 정말 순진하시다니까. 조금 전에 형수가 말하는 거 듣지 못하셨어요? 그녀가 했던 말 중 칠 할 이상은 거짓말이라고요."

화군악은 유 노대를 흘겨 보듯 눈을 가늘게 뜨며 말을 이어 나갔다.

"그리고 유 사부도 송강우라는 자에게 거짓말을 하셨

잖아요. 본인은 곤륜파의 인물이 아니라고 말이에요."

유 노대의 얼굴이 살짝 붉어졌다.

"허험, 그거야……."

유 노대가 할 말을 찾지 못하고 더듬거릴 때, 화군악의 뒤를 이어 장예추가 말했다.

"그 자리에는 열두 명의 교룡회 수뇌부가 앉아 있었습니다만, 그녀가 이야기할 때 누구 하나 끼어들거나 혹은 반론을 펼친 사람이 없었습니다."

장예추는 눈빛을 반짝이며 제 생각을 이야기했다.

"즉, 그 자리에 교룡두가 있었다면 바로 그녀가 교룡두일 가능성이 제일 높다는 뜻입니다."

장예추의 말이 끝나기가 무섭게 화군악이 끼어들었다.

"무엇보다 그 구미호의 이름이 구염이라고 했잖아요? 구 대인, 구염. 그건 일부러 그녀가 제 신분을 말해 준 것과 다름없다니까요."

"흐음. 안 그래도 구염이라는 이름에 살짝 의구심이 들기는 했다. 하지만 구 대인의 친척이나 아니면 딸이 아닐까 생각했지, 정작 본인일 거라고는 전혀 상상하지도 않았다."

"만약 교룡두가 휘하에 그 여인을 두고 있다면 아마 교룡두는 천하를 노릴 만한 자가 아닐까 하는 생각이 들 정도로 그 여인의 능력이 뛰어납니다. 배짱과 화술, 지략과

천연덕스러움을 모두 가지고 있는 데다가 심지어 무공도 제법 상당한 수준에 오른 듯하니까요."

"예추, 네 말을 듣고 보니 확실히 평범하지 않은 여인이었던 것 같구나. 나와 악양 지부주를 앞에 두고서도 태연하고 당당하게 제 의견을 말했으니 말이다."

"맞아요. 그런 여우 같은 계집, 절대 흔치 않아요. 아! 죄송해요, 형수. 험한 말을 했네요."

화군악은 나찰염요를 향해 고개를 숙이며 사과했다. 나찰염요가 웃으며 말했다.

"괜찮아요. 확실히 그녀는 여우 같은 계집이니까요."

그녀의 말에 화군악은 소리 내어 웃었다. 장예추와 유노대도 미소를 지었다. 담우천만이 차분하고 담담한 얼굴로 지켜보다가 천천히 입을 열었다.

"그럼 어쨌든 대체로 의견들이 통일된 것 같으니까 다음 계획을 세워 보지."

4장.

교룡회 오 층 전각

화군악이 안도의 한숨을 쉬기도 무섭게, 다시 스팟! 하는 괴음(怪音)과 함께
새로운 화살이 쏘아졌다.
그 화살은 눈 깜짝할 사이에 허공을 격하고 화군악의 가슴으로 파고들었다.
화군악은 다시 한번 위기에 처했다.

1. 잠입

밤이 깊었다.

밤하늘은 절반 정도 먹구름으로 가려졌다. 사위가 조용한 가운데 야경꾼들이 딱딱이를 들고 다니며 시간을 알렸다.

행인들이 사라진 악양부의 밤거리였지만, 이날은 한적하지도 고즈넉하지도 않았다. 어두운 밤거리 곳곳마다 백의를 걸친 무사들이 흉악하고 살벌한 표정을 지은 채 삼엄하게 경비를 서고 있었다.

그들은 천라지망을 펼치고 있는 태극천맹 악양 지부의 무사들로, 대략 오십여 장 간격을 두고 경계를 섰는데 대로나 골목길 어귀, 삼 층 건물의 지붕 할 것 없이 진을 진 채 삼엄한 시선으로 주변을 살폈다.

주변을 경계하는 건 태극천맹의 무사들뿐만이 아니었다. 교룡회에서 차출된 백여 명의 흑의 무사들 또한 적절한 거리를 유지한 채 조를 짜서 악양부 밤거리를 순찰하듯 돌아다니고 있었다.

또한 금해가에서 지원해 준 백여 명의 무사들도 그곳에 있었다. 청의 무복을 걸친 그들 역시 세 명씩 조를 이룬 채 악양부 곳곳을 돌아다녔다.

그야말로 고양이 한 마리, 쥐 한 마리의 움직임조차 놓치지 않을 정도로 완벽한 천라지망이었다.

"제법이다."

굳게 문이 닫힌 객잔 옆 조그만 골목에 몸을 숨긴 채 담우천이 중얼거렸다.

"성근 것 같지만 생각보다 짜임새 있는 경계망이다. 태극천맹의 무사들이 고정된 자리에서 사방을 주시하는 가운데 교룡회와 금해가 무사들이 종횡(縱橫)으로 이동하면서 경계하는 것이, 급히 만들어진 것치고는 상당히 수준 높은 천라지망이야."

"그래서, 뚫기 힘드신가요?"

화군악의 물음에 담우천이 미미하게 웃으며 대답했다.

"설마."

화군악이 환하게 웃으며 말했다.

"당연히 그러셔야죠. 만약 조금이라도 엄살을 피우셨다면 형님 대접 안 해 드리려고 했습니다."

담우천은 화군악의 너스레에 피식 웃고는 고개를 왼쪽으로 까딱거리며 말했다.

"다섯을 헤아린 후 왼쪽으로 이동한다. 저기 보이는 상회까지 이동한 다음에는 남북으로 교룡회, 금해가 무사들이 엇갈리는 걸 기다렸다가 다시 동쪽으로 이동하기로 한다."

"네, 무조건 형님 뒤만 따를게요."

담우천은 화군악의 말을 귓등으로 흘려들으면서 수를 헤아리기 시작했다.

"하나, 둘, 셋……."

반 시진 후.

그들은 무사히 교룡회 후문 앞에 이르렀다.

담우천의 능력은 생각보다 훨씬 더 뛰어났다. 그는 주변 백여 장의 기척을 미리 파악하고 인지해서 그 기척이 없거나 지워진 곳만을 골라서 이동했다.

사실 교룡회 무사들이야 무시해도 될 정도의 수준이기는 했지만, 금해가나 태극천맹의 무사들은 그렇지 않았다. 그들 모두 일류급에 해당하는 실력을 보유했고, 단 한

순간도 놓치지 않고 사주 경계를 확실하게 하고 있었다.

하지만 담우천은 그들보다 몇 배는 더 뛰어난 실력을 지니고 있었으며, 특히 은잠과 잠입, 추격과 도주 등에 관해서는 그 누구보다도 뛰어난 인물이었다.

담우천은 사마외도의 거마효웅들을 암살하기 위해 조직된 사선행자의 수좌인 행수(行帥)였으며, 지난 정사대전 당시 수많은 사마외도의 거마들을 암살한 전과를 세운 적이 있었다.

그런 담우천의 움직임을, 금해가나 태극천맹의 무사들은 절대로 알아차릴 리가 없었다. 그리하여 결국 이렇게 담우천과 그 일행들이 무사히 교룡회 후문까지 당도하게 된 것이다.

"오 층에서 아래층으로 내려가면서 찾도록 하자."

담우천은 중얼거리듯 말했다.

구미호 구겸이 어느 곳에 묵고 있는지 모르는 만큼 수색하는 방법은 상당히 중요했다.

물론 무작정 뒤지고 다녀도 그들의 앞을 막을 사람은 없을 테지만, 자칫 악양부 전역에 흩어져 있는 모든 적을 이곳으로 집결시키는 우를 범할 수가 있었다.

언제나 그렇지만 싸우지 않고 이기는 게 제일 좋은 방법이었고, 싸우게 되더라도 최대한 적게 싸우고 승리를 쟁취하는 게 차선의 방법이었다.

"그럴 것 없이 각각 한 층을 맡아서 찾는 건 어떨까요?"

화군악이 나름대로의 방법은 제안했다.

다섯 명의 무력과 교룡회의 전력을 비교한다면 그것도 나쁜 방법은 아니었다. 담우천은 잠시 생각하다가 고개를 끄덕였다.

"그게 더 좋은 것 같다. 그렇게 하자."

화군악의 안색이 환하게 밝아졌다.

"대신 구미호를 찾을 때까지 절대로 들키면 안 된다."

"물론입니다."

"그리고 구미호를 찾게 되는 즉시 신호를 보내도록. 신호는 요족의 신호를 사용한다."

요족의 신호는 새 울음소리로 이루어져 있었다.

소묘아와 고로투가 화평장에서 거주하게 된 후로 화평장의 모든 사람은 그 새 울음소리를 익혔다. 호각이나 휘파람보다 훨씬 더 안전하고 비밀스럽게 신호를 보낼 수 있는 장점 때문이었다.

"그럼 나는 오 층을 맡겠네."

유 노대를 시작으로 해서 다섯 명은 각자 담당할 층을 이야기했다. 이윽고 담우천이 일일이 사람들의 얼굴을 들여다본 후 고개를 끄덕였다.

동시에 담우천을 포함한 다섯 명이 각자 맡은 층을 향해 신형을 날렸다. 그들의 모습은 마치 밤하늘을 가르는 박쥐들처럼 아무런 소리 없이 교룡회 오 층 전각으로 날 아들었다.

화군악은 단 한 번의 비약(飛躍)으로 자신이 선택한 삼 층 난간 안쪽에 정확하게 착지했다.

그는 자세를 낮추며 다른 사람들의 모습을 돌아보았 다. 다들 별다른 소음 없이 허공을 날아서 제각기 서로 다른 층으로 날아갔다.

'유 사부의 경공술은 정말 대단하다니까.'

화군악은 그 어떤 도움도 받지 않은 채 한 번의 도약으 로 오 층까지 단숨에 날아오른 유 노대의 모습을 보면서 새삼 혀를 내둘렀다. 적어도 높이 솟구쳐 오르는 것 하나 만큼은 운룡대팔식을 쫓아갈 만한 경공술이 없었다.

'감탄하고 있을 때가 아니지. 지금은 그 여우를 찾는 일 에 집중하자.'

화군악은 살금살금 회랑을 따라 걷다가 조심스레 문을 열고 건물 안으로 들어섰다. 복도가 길게 이어진 가운데 양쪽으로 방들이 촘촘하게 배열되어 있었다.

물론 방마다 일일이 문을 따고 안을 들여다볼 수는 없 는 노릇이었다. 그리고 애당초 그런 삼류의 행동을 할 화 군악도 아니었다.

복도에 들어선 화군악은 경비의 존재부터 확인했다. 복 도 안쪽으로 삼 층과 오 층으로 이어지는 계단 근처, 두 개의 기척이 느껴졌다. 지금 화군악이 서 있는 곳과 대략 오륙 장 떨어진 곳이었다.

화군악은 경비 무사들로 짐작되는 기척과의 거리를 확인한 후 곧바로 각 방의 기척을 확인하기 위해 정신을 집중했다. 그는 천조감응진력으로 증폭된 여섯 가지 감각 중에서 청각과 후각을 극대화시켰다.

그러자 모든 방 안에 있는 사물이 손에 잡힐 것처럼 뚜렷하게 망막 위에 아로새겨졌다. 실로 놀라운 천조감응진력의 위력이었다.

지난날 강만리는 십삼매가 건네주었던 경천십삼무결록(驚天十三武訣錄)의 책자를 십여 권 필사하여 의형제들과 그들의 아내들에게 나눠 주었다.

"지금 여러분에게는 대부분 필요 없는 무공들이겠지만 그래도 한두 가지 괜찮은 무공들이 있을 겁니다. 배워서 익혀 두면 손해는 아닐 테니까."

강만리의 무뚝뚝한 목소리를 들으면서 경천십삼무결록을 펼친 사람들은 하나같이 깜짝 놀랐다. 강만리의 말과는 달리 그 안에 적혀 있는 열세 가지의 무공 구결은 하나같이 강호 최고의 상승 무공이었다.

그럴 수밖에 없는 것이, 이른바 공적십이마로 대표되는 사마외도 최강 고수들의 무공을 좀 더 단순하고 실전적으로 익히기 편하게 수정한 것이 바로 경천십삼무결록의 구결들이었다.

화군악을 비롯한 사람들은 틈이 날 때마다 경천십삼무
결록에 들어 있는 열세 가지 무공을 배우고 익혔다.

그렇게 시간이 흐른 지금에 와서는, 비록 내공이 부족해
서 익히지 못하거나 혹은 상성이 맞지 않아서 배울 수 없
는 몇몇 무공들을 제외하고서, 그들은 경천십삼무결록에
서 최소한 칠팔 개의 무공을 상당 수준 수련하게 되었다.

천조감응진력은 화군악이 익힌 아홉 가지 무공 중 하나
였다. 청각과 후각, 촉각과 미각, 시각과 육감을 한계까
지 끌어올려서 극대화할 수 있는 무공이 천조감응진력이
었다.

이제 칠, 팔성 수준에 오른 천조감응진력은 복도 양옆
으로 나 있는 방들의 모든 기척을 일일이 살필 수 있었
다.

대부분의 방은 비어 있었다. 인기척이 있는 몇몇 방에
서도 깊이 잠든 사람들의 호흡밖에 느껴지지 않았다.

화군악은 그 가느다란 호흡들에 집중하였다. 사내의 코
고는 소리, 깊은 호흡, 묵직한 숨소리들 사이로 여인의
것이라고 짐작되는 가지런하고 희미한 호흡이 느껴졌다.

화군악은 주변 모든 기척을 배제했다. 그러고는 한껏
천조감응진력을 끌어올려 오로지 그 여인의 호흡이 느껴
지는 방에 집중했다.

가지런한 숨소리와 함께 달콤한 향이 새어 나왔다. 여인 특유의 살냄새와 분 냄새가 화군악의 코를 자극했다.

'거기 있었구나.'

화군악은 고개를 끄덕인 후, 미끄러지듯 복도를 내달리다가 계단이 보이기 직전 훌쩍 천장에 매달렸다.

"음?"

계단 앞에 서 있던 두 명의 무사 중 한 명이 화군악이 달려온 복도 쪽으로 고개를 돌렸다.

"왜?"

다른 무사가 묻자 그는 고개를 갸우뚱거리며 말했다.

"아니, 바람이 분 것 같아서."

"바람은 무슨."

"그렇겠지? 양대로 향하는 문도 닫혀 있는 것 같은데."

다는 무사의 말에 그는 피식 웃으며 고개를 돌렸다. 그렇게 대화를 나누는 그들의 머리 위로 검은 그림자가 천장에 달라붙은 채 천천히 이동하고 있었다.

그렇게 천장을 따라 복도 끝자락까지 이동한 화군악은 소리 나지 않게 복도로 내려섰다. 그러고는 다시 조심스레 방문을 열었다.

'응? 방문이 잠겨 있지 않네?'

화군악은 순간적으로 그런 생각을 하면서 방 안으로 잠입한 후 다시 문을 닫았다. 그는 구석진 곳에 선 채 내부의 윤곽이 시야에 완벽하게 잡힐 때까지 기다렸다.

화려한 장식들로 방 전체가 꾸며져 있었다. 값비싸 보이는 도자기들이 진열되어 있었고, 벽에는 오래된 서화가 장식되어 있었다.

전면에는 대여섯 명이 한꺼번에 뒹굴어도 넉넉할 정도의 침상이 놓여 있었고, 담홍색(淡紅色) 망사의 창렴이 마치 모기장처럼 드리워져 있었다.

그리고 그 침상에 한 여인이 잠들어 있었다.

'구미호로구나.'

화군악의 눈빛이 반짝였다. 생각보다 훨씬 손쉽게 그녀를 찾은 것이다.

2. 태극면장(太極綿掌)

비슷한 시각.

다섯 층 중에서 이 층을 선택한 장예추 역시 화군악과 비슷한 경로를 통해 복도 안쪽의 방문 앞에 이르렀다. 역시 방문은 잠겨 있지 않았고, 장예추는 손쉽게 방 안으로 잠입할 수 있었다.

실내는 화려한 장식들로 꾸며져 있었다.

사주지로(絲綢之路:비단길) 너머 파사국(波斯國:페르

시아)에서 들어왔음직한 양탄자가 바닥에 깔려 있었고, 벽에는 천축국(天竺國)의 것으로 짐작되는 그림이 걸려 있었으며, 장식장에는 환희불(歡喜佛)을 비롯한 여러 음란한 형상의 조각들이 가지런히 놓여 있었다.

커다란 침상 또한 이국풍(異國風)의 문양과 장식으로 꾸며져 있었고, 그 침상에는 한 명의 여인이 얇은 망사의(網絲衣)를 걸친 채 잠들어 있었다.

그녀를 바라보는 장예추의 눈빛이 반짝였다.

'바로 이 여인이 구미호 구염이겠구나.'

오 층 복도 안쪽의 방 안에서도 그와 비슷한 광경이 펼쳐져 있었다.

유 노대는 아무것도 걸치지 않은 전라의 몸으로 잠들어 있는 여인을 바라보며 살짝 눈살을 찌푸렸다.

'허어. 내가 발견했기에 망정이지, 군악이 오 층으로 왔다면 제정신을 차리지 못했을 수도 있겠군그래.'

유 노대는 가볍게 한숨을 내쉬며 구미호 구염으로 짐작되는 여인을 향해 천천히 다가갔다.

다른 나머지 층, 일 층과 삼 층을 선택한 담우천과 나찰염요 또한 죽은 듯 잠들어 있는 전라의 여인을 바라보면서 고개를 끄덕였다.

'말하는 것도 요사스럽더니 잠자는 몰골도 요사스럽기 그지없구나.'

'어머나. 몸매 좋다고 과시하는 것도 아니고, 아직 밤공기가 쌀쌀한데도 다 벗고 자네.'

담우천과 나찰염요는 서로 다른 생각을 하면서 요족 특유의 신호인 새 울음소리를 냈다.

일순 그들의 얼굴이 딱딱하게 굳어졌다.

자신들이 새 울음소리를 낸 것과 거의 동시에 밤하늘을 타고 또 다른 새소리가 들려온 것이다. 그것은 믿을 수 없게도 각 층에서, 화군악과 장예추와 유 노대가 각자 구염을 발견했다면서 보내온 신호였다.

놀란 건 담우천과 나찰염요뿐만이 아니었다.

'이런!'

'헉.'

'어라?'

유 노대와 장예추, 화군악도 눈이 휘둥그레지기는 마찬가지였다.

창밖으로 들려온 새소리에 놀란 그들은 저도 모르게 황급히 침상으로 다가가 잠들어 있는 여인의 얼굴을 확인했다. 그리고 거의 동시에 그들의 얼굴이 일그러졌다.

'구염이 아니구나!'

'구미호가 아닌데?'

사람들은 당황한 눈빛으로 잠든 여인의 얼굴을 내려다 보았다.

여인들은 하나같이 아름답고 풍만한 육체를 지닌, 그러나 구미호 구염과는 다르게 이십 대 초중반 풋풋한 용모를 지니고 있었다.

'속았구나!'

누군가의 머리에 속았다는 생각이 떠오를 때였다.

삐이익! 삐익!

날카로운 호각 소리와 뎅! 하는 종소리가 오 층 전각은 물론이거니와 교룡회 본산을 떠들썩하게 만들었다. 이내 사방에 불이 켜지고 사람들이 우르르 몰려드는 소리가 요란하게 들려왔다.

"젠장!"

화군악은 짜증을 내며 천장을 향해 일장을 날렸다.

콰앙!

요란한 굉음과 함께 천장이 부서져 내려앉았다. 흙먼지와 나뭇조각들이 폭포처럼 떨어지는 가운데, 화군악은 뻥 뚫린 천장 위로 신형을 솟구쳤다.

바로 그 순간, 콰앙! 하는 소리가 바로 옆방에서 들려왔다. 삼 층에 있던 누군가가 화군악처럼 천장을 부수는 소리였다. 그 굉음은 삼 층에서도, 이 층에서도 연달아 들려왔다.

쾅! 콰앙!

천장을 부수는 굉음은 계속해서 울려 퍼졌다. 나찰염요
와 담우천, 장예추는 쉬지 않고 쌍장을 휘둘러 천장을 부
수며 오 층까지 단숨에 올라오고 있었다.

"여기다!"

오 층에 있던 유 노대가 문을 걷어차며 소리쳤다. 복도
맞은편 방문이 활짝 열리고 화군악이 뛰어나왔다.

"유 사부도?"

"군악, 너도?"

두 사람은 얼굴을 마주 보며 동시에 소리쳤고, 또 동시
에 고개를 끄덕였다. 일순 낭패의 빛이 그들의 얼굴 위로
떠올랐다가 사라졌다.

쾅! 쾅!

그 뒤를 이어 굳게 닫혀 있던 방문들이 연달아 박살 나
며 한 사람씩 복도로 뛰어나왔다. 장예추와 담우천, 그리
고 나찰염요였다.

"함정입니다!"

화군악의 말에 담우천이 고개를 끄덕이며 말했다.

"그래. 정말 구미호(九尾狐) 같은 계집이다."

"이제 어떻게 하죠?"

나찰염요가 묻자 화군악과 장예추가 동시에 대답했다.

"어쩌긴요. 이왕 이렇게 된 거 구미호가 스스로 모습을

드러낼 때까지 잡아 족쳐야죠."

"이렇게 된 거 끝까지 싸워서 구미호에게 항복을 받아 내야죠."

말투는 달랐지만 내용은 엇비슷했다. 화군악과 장예추는 서로를 바라보며 피식 웃었다.

그때였다.

복도 중앙에 있는 계단을 따라 수십 명의 무사들이 우르르 몰려왔다.

담우천이 담담한 어조로 말했다.

"그럼 군악과 예추의 의견대로 끝까지 가 보자."

"당연하죠."

"그래야죠."

화군악과 장예추는 이번에도 동시에 대답하고는 서로의 얼굴을 바라보았다.

"허어. 일이 점점 커지는구나."

유 노대가 한탄하듯 중얼거릴 때, 계단을 따라 복도로 올라온 수십 명의 무사가 좁은 복도를 내달리며 덤벼들었다.

화군악이 앞으로 나섰다.

복도의 폭은 건장한 사내가 드러누우면 딱 맞을 정도의 너비, 높이는 일 장이 채 되지 않았다. 그 복도를 따라 수십 명의 무사들이 병장기를 쥔 채 달려오고 있었지만, 전면에는 기껏해야 두 명의 무사밖에 보이지 않았다.

화군악은 호흡을 길게 가다듬으면서 두 손에 내력을 끌어모았다. 이런 상황에서는 검이나 칼보다는 장력이 훨씬 더 효과적이었으니까.

화군악의 내력이 꿈틀거리며 어깨와 팔, 손으로 흘러들었다. 화군악은 저도 모르게 춤사위를 펼치듯 어깨를 틀고 팔을 흔들며 두 손을 앞뒤로 움직였다.

"호오, 그건?"

뒤에서 지켜보던 유 노대가 사뭇 흥미롭다는 눈빛으로 화군악을 지켜보며 중얼거렸다.

"아무래도 태극면장(太極綿掌)의 기수식 같구나."

담우천이 고개를 끄덕이며 말을 받았다.

"확실히 태극면장을 펼치는 것 같습니다. 역시 제수씨에게 한 수 배운 걸까요?"

화군악의 아내는 무당파 장문인의 여식으로, 강호에서는 일검화(一劍花)라는 별호로 유명한 여걸이었다.

그녀가 남편인 화군악에게 무당파의 무공을 전수했다면 지금 그가 무당면장의 기수식을 펼치는 건 하등 이상할 게 없었다.

하지만 유 노대는 고개를 저었다.

"정식으로 심법을 익히고 배운 무공이 아닌 듯하네. 무당파의 심법을 이용하여 무당면장을 펼치면 몸 주위에 수십 갈래의 실처럼 하얀 기운이 은은하고 희미하게 떠오르니까."

장예추와 나찰염요는 유 노대의 말을 들으면서 화군악을 바라보았다. 화군악의 부드럽고 넘실거리는 몸짓은 확실히 무당파 특유의 몸놀림 같았지만, 어디에고 새하얀 기운은 전혀 보이지 않았다.

유 노대의 말이 계속해서 이어졌다.

"아무래도 군악이 그 무애암에서 깨우쳤다는 게 태극혜검만이 아닌 모양이다."

"아!"

"으음."

사람들의 탄성이 이어지는 가운데 유 노대는 신중한 표정을 지으며 말했다.

"무당파 사람들이나 세상 사람들은 장삼봉 진인이 심득을 얻어 무애암에 팔단금과 태극혜검의 흔적을 남겨두었다고 말하지만, 실상은 그게 아닐지도 모른다. 그 무애암에 새겨진 수백 개의 검선(劍線)들은 장삼봉 진인이 평생에 걸쳐 터득했던 모든 무공을 단 하나의 초식처럼 일순간에 쏟아부어서 만든 게 아닐까 싶다."

유 노대의 말에 사람들의 눈이 휘둥그레졌다.

지금 유 노대의 이야기는 그동안 정설로 굳어져 있던 만애암의 검선에 대해서 백팔십도 다른 설명이었다.

세상 사람들은, 특히 무당파 사람들은 그 수백 개의 검선을 두고 단 한순간, 한 초식으로 만들어진 검법이라고 생각했다.

그런 연유로 장삼봉 진인 이후, 무당파의 수많은 천재들이 만해암의 검선을 놓고서 그 검로(劍路)를 파악하고 이치를 깨우치려 노력해 왔다.

하지만 몇 백 년이 흐른 지금까지도 그 만해암의 검선을 이해하거나 깨우친 자는 단 한 명도 나오지 않았다.

만약 유 노대의 추측이 옳다면, 지금껏 수없이 많은 천재들이 도전했음에도 불구하고 결국 단 한 명도 심득을 얻지 못한 것에 대해 충분히 설명이 되는 대목이었다.

3. 함정

화군악은 두 손 가득 태극면장의 기운을 담고서 춤을 추는 듯한 동작 그대로 두 손을 번갈아 가며 앞으로 내밀었다.

일순 손바닥 한가운데에서 보이지 않는 기운이 넘실거리듯, 출렁거리듯, 혹은 살랑바람에 실려 밀려 나가듯 앞으로 뻗어 나갔다.

화군악과 미친 듯이 복도를 달려오던 무사들과의 거리

는 불과 일 장도 되지 않았다.

"죽여라!"

"모두 죽여 버리자!"

무사들은 저마다 고함을 내지르며 칼과 검을 휘둘렀다.

하지만 다음 순간, 선두로 달려오던 무사들이 갑자기 비명과 피를 토하며 뒤로 날아갔다.

"컥!"

"헉!"

보이지 않는 무언가에 엄청난 충격을 받고 뒤로 날아간 무사들로 인해, 그 뒤를 따라 달려오던 무사들이 균형을 잃고 뒤로 나자빠졌다.

그 바람에 복도를 따라 달려오던 수십 명의 무사들은 나란히 세워 둔 골패(骨牌)가 차례로 쓰러지는 것처럼 밀려 쓰러졌다.

화군악은 쓰러진 무사들의 머리 위, 복도 천장을 노리고 다시 쌍장을 휘둘렀다.

이번에도 보이지 않는, 하지만 수십 년 내력이 실린 장력이 그의 두 손에서 발출되었다.

쾅!

굉음과 함께 천장이 박살 나며 흙무더기가 우르르 떨어져 내렸다.

흙무더기와 나무판자에 깔린 무사들이 비명과 고함을

지르면서 어떻게든 일어서려고 했다. 그러나 화군악은 절대 용납하지 않았다.

"그대로 누워 있어라!"

화군악은 소리치며 연신 쌍장을 휘둘렀다. 무형의 장력이 아무런 소리도 내지 않은 채 쉴 새 없이 뻗어 나왔다. 복도 바닥에 쓰러져 있던 무사들의 입에서 연신 비명이 터지고 피가 흘렀다.

일반적으로 장력은 장풍(掌風)이라고 해서 손바닥에서 바람이 나가는 방식이 제일 기본적인 형태이다. 장력의 위력이 강할수록, 내공이 고강하면 고강할수록 장풍을 발출하는 소리 또한 거세지게 된다.

하수들이라면 모르겠으나 상승의 고수라면 그 바람 소리만으로도 충분히 그 장풍에 대응하거나 몸을 피했다.

그러나 화군악의 태극면장은 일반적인 장풍과는 전혀 달랐다. 그의 면장은 숙련도가 높아질수록 바람 소리가 나지 않았고, 눈에 보이지도 않았다.

상승의 고수들조차 눈에 보이지 않고 귀에 들리지 않는 장풍을 방비하는 건 절대 쉽지 않은 일이었으니, 이 교룡회의 무사들이야 말을 할 것도 없었다.

그들은 마치 눈에 보이지 않는 귀신이나 혼령에게 당하는 것처럼 놀라고 당황한 채 마구 허둥대다가 픽픽 쓰러져 갔다.

수십 명의 무사들이 애벌레처럼 꿈틀거리다가 결국 더 이상 움직이지 않게 되기까지는 그리 오랜 시간이 걸리지 않았다.

"흥! 겨우 이 정도의 함정으로 우리를 어찌해 볼 셈이었더냐?"

화군악은 아직도 흙먼지가 가라앉지 않은 복도를 노려보며 소맷자락을 털었다.

"너무 우리를 무시하고 있구나, 구미호."

화군악의 말에 대답이라도 하듯, 뒤편에 서 있던 담우천이 불쑥 입을 열었다.

"아직 끝난 게 아니다."

"네?"

화군악은 눈을 동그랗게 뜨고 뒤를 돌아보았다. 담우천이 무뚝뚝하게 말했다.

"계속해서 사람들이 이곳으로 모여드는 중이다."

"그래요?"

화군악은 호흡을 가다듬으며 천조감응진력을 펼쳤다. 이내 그의 눈이 커졌다.

믿을 수 없는 일이었다.

담우천의 말마따나 계속해서 사람들이 이곳으로 달려오고 있었다. 그것도 수십 명이 아닌 수백 명이, 교룡회 외곽에서 이곳 오 층 전각을 향해 무시무시할 정도로 빠른 속도로 달려오는 것이었다.

담우천이 다시 입을 열었다.

"아마도 구미호와 태극천맹 간에 미리 약속되어 있었던 모양이다. 악양부 전역에 펼쳐져 있던 천라지망이 이곳을 중심으로 해서 급속도로 좁혀지고 있는 것 같다."

"그렇다면 최소한 사오백 명이 몰려들 거라는 말씀이십니까?"

장예추의 질문에 담우천이 고개를 끄덕이며 말했다.

"어쩌면 더 몰려올지도 모르지. 금해가의 무사들도 생각해야 하니까. 그러고 보니 이곳 악양부에 태극천맹과 금해가의 고수들이 얼마나 있을지 궁금하군."

"흥! 모두 덤비라고 하죠, 뭐."

화군악이 어깨를 으쓱거리며 말했다.

"덤비는 족족 저렇게 만들 테니까."

화군악이 흙과 피로 뒤덮여 있는 시신들을 내려다보며 광오하게 말하자, 유 노대가 살짝 눈살을 찌푸렸다.

"그래도 손속에 정을 남겨 두렴. 죽이지 않아도 될 자들까지 죽일 필요는 없으니까."

"네. 그리하겠습니다."

화군악의 고분고분한 대답에 사람들은 놀란 눈으로 그를 바라보았다. 화군악은 그들의 눈빛을 아랑곳하지 않은 채 말을 이었다.

"좁은 복도에서 이렇게 모여 있지 말고 밖으로 나가죠. 연무장이라면 마음대로 날뛰면서도 함부로 살수를 펼치지 않을 수 있을 테니까요."

화군악의 말에 사람들은 어리둥절한 얼굴로 고개를 끄덕였다.

나름대로 일리가 있는 이야기였다. 좁은 곳에서의 운신은 적도 불편하지만 아군도 불편할 수밖에 없었다. 게다가 시신과 부상자들이 복도에 쌓이다 보면 움직이기조차 힘들어질 수도 있었다.

"그럼 가죠."

동료들의 의견을 확인한 화군악은 곧장 시신들을 뛰어넘어 복도 저편으로 달려 나갔다. 사람들이 그 뒤를 따랐다. 화군악은 장력을 날려 회랑으로 이어지는 문을 부순 후 거침없이 회랑 양대로 나갔다.

밖은 대낮처럼 밝았다. 곳곳에 화톳불과 횃불이 밝혀져 있었으며, 석등과 등롱에도 불이 들어와 있었다.

"와아. 개미들 같네."

화군악은 양대 난간 아래를 내려다보며 감탄했다. 연무장과 후원, 뒷마당 할 것 없이 사방에서 달려온 무사들로 가득 차 있었다.

아직까지는 대부분 교룡회의 무사들로 보였지만, 교룡회 바깥에서 금해가와 태극천맹의 무사들이 속속들이 들어서는 중이었다.

뒤늦게 달려온 장예추는 화군악과 나란히 서서 가만히 연무장을 내려다보다가 문득 눈빛을 반짝였다.

"저기 있다."

장예추가 손을 들어 연무장 한쪽을 가리켰다. 화군악과 사람들이 그 방향으로 시선을 돌렸다.

연무장 중앙에 십여 명의 사람들이 모여 있었는데, 그 한가운데 서 있는 여인이 오 층 양대를 쳐다보며 활짝 웃고 있었다.

다름 아닌 구미호 구염, 바로 그녀였다.

"낮과는 정반대가 되었네?"

여인이 웃으며 말했다.

"그때는 우리가 내려다보고 그쪽 노인네가 이곳에 서 있었는데. 뭐, 그때나 지금이나 우리에게 유리한 상황인 건 매한가지이지만 말이지."

나름대로 요염하고 아름다운 얼굴이었지만 매번 저렇게 비비 꼬아서 말을 하니 그 예쁜 얼굴도 밉상으로만 보였다. 화군악이 눈살을 찌푸리며 소리쳤다.

"거기 가만히 있어라, 꼬리 아홉 개 달린 계집! 당장에 내려가서 그 입을 두 번 다시 함부로 열지 못하게 만들어 줄 테니까."

화군악은 말이 끝나기가 무섭게 오 층 양대를 박차고

허공을 날았다. 한 마리 박쥐가 밤하늘을 미끄러지듯 나는 것처럼 그의 신형은 우아할 정도로 매끈한 곡선을 그리면서 구미호를 향해 날아갔다.

일순 구미호의 눈빛이 달라졌다.

'역시 평범한 고수가 아니라니까.'

낮에도 느꼈지만, 확실히 저 다섯 명의 남녀는 강호에서 흔히 찾아볼 수 없는 절정 고수들이었다. 물론 그렇다고 해서 기죽거나 위축될 그녀가 아니었다.

상대가 강하다면 그 수준에 맞춰서 계획을 세우고 준비를 하면 되는 것이다. 그리고 이미 모든 계획이 세워졌고 준비를 끝낸 상황이었다.

이대로 저 다섯 명의 무림 고수들이 처참하게 무너지는 광경을 지켜보기만 하면 되는 순간이었다.

* * *

"잠깐만요."

구미호 구염은 막 도망친 다섯 명의 복면인들을 뒤쫓으려던 송강우를 향해 말했다.

송강우가 뒤를 돌아보자 구염이 요염하게 웃으며 말을 이었다.

"굳이 쫓아가지 않으셔도 될 것 같아요."

송강우가 눈살을 찌푸리며 말했다.

"본 맹의 처사를 무시하고 도주한 자들을 용서하란 말이오? 그럴 수는 없소."

"아니, 용서하라는 게 아니라 이미 종적을 찾을 수 없을 정도로 멀리 도망쳤잖아요? 괜히 뒤쫓는다고 힘만 낭비하시게 될 거랍니다."

"상관없소."

"아니, 보다 쉽게 그자들을 사로잡는 방법이 있는데도요?"

"음?"

"오늘 밤 그자들은 저를 만나기 위해 다시 이곳을 찾을 거예요. 그때를 기다렸다가 일망타진하면 훨씬 쉽지 않겠어요?"

"허어. 그들이 당신을 만나기 위해 올 줄 어떻게 아시오? 그것도 오늘 밤에 말이오."

"만약 오늘 밤 그들이 오지 않는다면 저와 교룡회를 모두 송 지부주께 드릴게요. 아무런 조건 없이."

"필요 없소, 그런 건."

냉정한 말과는 달리 송강우의 눈은 구염의 풍만한 가슴을 슬쩍 훑고 지나갔다.

구염이 다시 미소를 지으며 말했다.

"어쨌든 반드시 올 거예요. 그들은 태극천맹의 천라지망이 완성되기 이전에 최대한 빨리 움직이려고 생각할 테니까요."

"흐음."

나름대로 일리가 있다 싶었는지, 송강우는 턱을 매만지며 구염의 이야기에 귀를 기울였다. 구염의 말은 계속해서 이어졌다.

"우선 거짓으로 악양 전역에 천라지망을 펼치는 거예요. 그자들이 쉽게 저를 찾아올 수 있도록 말이에요. 물론 저는 미리 함정을 준비해 두고 그들을 기다릴 거고요. 그들이 함정에 빠지면 곧장 연락을 취할 테니까, 그때 전역에 풀어 두었던 무사들을 데리고 이곳으로 오시면 돼요."

구염은 한쪽 눈을 찡긋거리면서 웃었다.

"설마 태극천맹과 금해가의 모든 정예들을 이끌고 왔는데도 그자들을 놓칠 리는 없으시겠죠?"

"흥!"

송강우는 코웃음을 쳤다. 하지만 구염이 웃는 동안 위아래로 흔들거리는 가슴의 율동에, 송강우의 시선은 갈 곳을 잃고 갈팡질팡하고 있었다.

구염은 그 풍만한 가슴을 더더욱 앞으로 내밀며 물었다.

"아니면 설마 그들이 두려운 건가요?"

"헛소리!"

송강우는 짜증을 내며 소리쳤다.

"비록 놈들이 강하다고는 하지만 그래도 내게 비하면

조족지혈에 불과하오! 게다가 내게는 수백의 지부원들이 있으며, 내 뒤에는 태극천맹이 있소! 결코 놈들 따위가 우리를 당해 낼 수는 없을 것이오!"

"그랬으면 좋겠네요."

구염은 여우처럼 웃으며 말했다.

"제가 기껏 계획을 짜서 그자들을 이곳에 가둬 놓았는데 정작 송 지부주께서 놓치시기라도 하면 큰일이니까요."

"흥! 하늘에 맹세코 그런 일은 추호도 없을 것이오. 소저는 그저 놈들을 내 앞에 데려다 놓기만 하면 되오."

송강우는 화를 내듯 말하다가 문득 냉정을 되찾고 아차 하는 표정을 지었다. 이야기가 어쩌다 보니 구염이 계획을 세우고 송강우가 그 뒷일을 처리하는 식으로 되어 버린 까닭이었다.

'허어, 진짜 여우 같은 여인이로구나.'

송강우는 잠시 그녀를 바라보다가 불쑥 물었다.

"그나저나 구 대인은 요즘 통 안 보이시오?"

구염이 방긋 웃으며 대답했다.

"오라버니는 호광성이 아닌 다른 지역에도 교룡회의 지부를 세우기 위해 전 대륙을 돌아다니는 중이랍니다. 그 때문에 능력 없고 보잘것없는 제가 감히 교룡회의 책임을 맡아 일을 처리하는 중이고요."

거기까지 말한 그녀는 여전히 미소를 잃지 않은 채 어

깨를 움츠리고 눈물을 글썽거리며 소곤대듯 말을 이었다.

"맞아요. 오늘 있었던 불미스러운 사건도 제 능력이 부족해서 일어난 일인 것 같아요. 정말 한심한 계집이지 뭐예요."

송강우는 당황했다.

생글거리며 웃던 그녀가 갑자기 눈물을 글썽거리며 하소연하듯 말하고 있었다. 상황을 모르는 자들이 이 광경을 본다면 자칫 오해할 소지가 충분했다.

그는 무슨 말을 해야 할지 몰라 난감한 표정을 짓다가 최대한 다정한 목소리로 그녀를 달랬다.

"울지 마시오. 구 대인이 돌아올 때까지 우리가 도와드릴 터이니. 그리고 소저는 결코 능력이 부족하거나 보잘것없지 않소. 그건 이 송강우가 보증하겠소."

구염은 눈물이 그렁그렁 담긴 눈으로 송강우를 올려다보며 방긋 웃었다.

"고마워요, 송 지부주."

5장.
일합(一合)의 승부

도망쳐야만 할 때도 도망치지 못하는 무림인들의
알량한 자존심과 어쭙잖은 오기를 비웃는 것이었다.
차라리 '두고 보자'라는 한마디를 남기고 줄행랑을 치는 하오문의 졸개들이나
뒷골목의 불량배들이 훨씬 더 현실적이고 이성적이라는 의미였다.

1. 구염과 오라버니

구염은 이날 밤 놈들이 재차 자신을 찾아올 거라고 확신했다. 그녀 자신도 분명히 그랬을 테니까.

그래서 그들을 함정에 빠뜨릴 계획을 꾸몄다.

하지만 한나절만으로 강호의 절정 고수들을 옴짝달싹하지 못하게 만들 함정을 만드는 건, 아무리 천하의 그녀라 해도 확실히 불가능한 일이었다.

'우선 그들이 이곳을 빠져나가지 못하게 만드는 게 중요해. 그들을 이곳에 묶어 놓고 있으면 송강우가 태극천맹과 금해가의 무리를 끌고 올 테니까. 나는 그 시간만 벌어 주면 되는 거야.'

결국 그녀는 최대한 단순하지만 가장 강력한 함정을 만들었다.

교룡회 본 각 오개 층에 여인들을 한 명씩 배치해 둔후, 놈들이 어느 층의 여인에게라도 접근하는 즉시 수백 명의 교룡회 무사들이 본 각을 에워싸는 것이다.

그리고 구염이 직접 나서서 놈들의 자존심을 건드리면, 반드시 놈들은 그녀를 직접 잡으려고 연무장으로 내려올 게 분명했다.

'그때 나는 뒤로 물러나고 송강우가 올 때까지 본 회의 무사들이 놈들의 바짓가랑이를 붙잡으면 돼.'

그것이 구미호 구염의 계획이었다. 또 그 계획은 어느 정도 성공했다.

물론 오개 층 모든 여인들의 침소에 놈들이 잠입한 건 의외의 일이었지만, 어쨌든 놈들을 오 층 양대로 끌어낸 다음 구염이 세 치 혀를 놀려 놈들 중 한 명을 뛰어내리게 만들면 충분했으니까.

하지만 구미호 구염은 그 한 명, 화군악이 박쥐처럼 오류 장의 허공을 날아오는 광경을 보며 순간적으로 당황하고 말았다.

'아니, 내가 너무 물렁하게 생각한 것인지도 몰라.'

그녀는 놈들의 무공 수위를 잘못 파악하고 있었다.

애당초 그녀는 놈들의 무위를 기껏해야 당경(堂境), 혹은 노경(老境)에 가까운 수준이라고 생각했다.

그러나 지금 저 사내의 경공술을 보자니 노경의 경지를 벗어나 문경(門境)에 이른, 아니 어쩌면 문경의 경지도 훌쩍 벗어나 버린 절대 고수일 가능성도 없지 않았다.

"막아라."

그녀는 황급히 뒤로 물러나며 빠른 어조로 말했다.

"금해가와 태극천맹의 고수들이 올 때까지 너희들이 버텨줘야 한다."

그녀의 말이 떨어지기가 무섭게, 그녀를 에워싸고 있던 열한 명의 남녀가 조직적으로 움직이며 그녀 앞으로 나섰다. 동시에 그중 한 명이 빠르게 활을 들어 화군악을 겨냥하고 시위를 당겼다.

스팟!

공기가 찢겨 나가는 소리가 이는가 싶더니 어느새 화살 한 촉이 밤하늘을 날아오고 있는 화군악의 가슴팍을 향하고 있었다.

'헉!'

화군악은 깜짝 놀랐다.

교룡회에서 이렇게나 강력하고 섬전처럼 빠른 화살을 쏘는 사람이 있을 줄이야!

화군악은 다급하게 몸을 뒤집으며 화살을 피했다. 화살은 아슬아슬하게 화군악의 겨드랑이 근처를 스치듯 지나

쳐갔다.

'휴우.'

화군악이 안도의 한숨을 내쉬기 무섭게, 다시 스팟! 하는 괴음(怪音)과 함께 새로운 화살이 쏘아졌다. 그 화살은 눈 깜짝할 사이에 허공을 격하고 화군악의 가슴으로 파고들었다.

화군악은 다시 한번 위기에 처했다.

이미 허공에서 억지로 한 번 몸을 뒤집은 상황이었다. 연거푸 허공에서 몸을 뒤집는 건 몸에 큰 부담이 오는 일이었고, 무엇보다 그럴 만한 시간이 없었다.

화군악은 황급히 화살을 향해 손을 뻗었다.

부르르!

아슬아슬하게 화군악의 손에 잡힌 화살이 마구 몸부림을 쳤다. 다행히 화살을 붙잡을 수는 있었지만, 그 화살에 얼마나 강렬한 힘이 실렸는지 그의 손아귀가 찢어지며 피가 흘렀다.

피를 본 화군악의 눈빛이 달아올랐다.

"보자 보자 하니까 이 개자식들이!"

무려 오륙 장 거리를 날아간 그는 곧 구미호를 향해 일직선으로 하강했다.

스팟! 스팟!

연무장에서 연달아 활시위가 당겨졌다.

하지만 화군악은 더 이상 당황하지 않았다. 화살이 날아올 거라고 전혀 예상하지 않았을 때와 이미 모든 준비를 마친 상황에서의 화군악은 완벽하게 다른 사람이었다.

그는 허공 높은 곳에서 지면으로 일직선으로 하강하면서 두 손을 교차하며 쉴 새 없이 내뻗었다. 그의 손에서 가공할 기세의 장력이 숨 쉴 틈 없이 뿜어져 나왔다.

쾅! 쾅! 콰쾅!

요란한 굉음과 함께 장력에 격중당한 지면이 움푹움푹 파였다.

흙먼지가 사방을 뒤덮었다. 주변 무사들이 놀라서 황급히 피하는 가운데, 구미호를 가로막은 열한 명은 한 걸음도 움직이지 않았다.

화군악의 장력이 그들에게로 쏟아졌다. 열한 명의 무인들을 동시에 손을 뻗어 장력을 발출했다.

비록 개개인의 능력은 화군악에 비해 떨어질지 몰라도, 이렇게 열한 명이 합심하여 장력을 쏟아 내자 그 위력은 가히 경천동지할 정도였다.

콰앙!

천둥이라도 친 듯 허공에서 엄청난 굉음이 터졌다. 화군악의 장력과 열한 명의 장력이 허공 한가운데에서 정면으로 맞부딪친 것이다.

"으음."

열한 명 중 누군가의 입에서 얕은 신음이 흘러나왔다. 그들의 얼굴에는 놀라고 당황한 기색이 역력했다.

"당황하지 마라! 놈의 움직임을 놓치지 마라!"

그들의 뒤쪽에서 구미호 구염이 연신 뒤로 물러서며 날카롭게 소리쳤다.

열한 명의 심복들은 재빨리 정신을 차리고 화군악을 찾았다. 연무장에 있던 수백 명의 무사들도 한꺼번에 우르르 몰려들었다.

하지만 화군악이 착지한 곳은 조금 전 그가 내리친 장력으로 인해 발생한 흙먼지로 가득 뒤덮여 있어서 한 치 앞도 내다볼 수가 없었다.

바로 그 순간이었다.

흙먼지 사이로 손 하나가 불쑥 튀어나오더니 근처에 서 있던 무사의 목을 움켜쥐었다.

"킥!"

짧은 비명이 사내의 입에서 튀어나오는 순간, 거짓말처럼 화군악이 튀어나오며 목을 움켜쥔 사내를 교룡회 무사들을 향해 힘껏 내던졌다.

앞쪽에 위치해 있던 무사들은 깜짝 놀라며 엉겁결에 날아온 사내를 받아 들었다.

화군악은 그 짧은 순간의 빈틈을 놓치지 않았다. 그의

두 발에서 야래향의 독문절기(獨門絕技)인 월령혼무보(월靈混霧步)가 펼쳐졌다.

달빛 아래 가득 찬 운무(雲霧) 속에서 움직이는 것처럼, 내 종적을 숨기고 상대의 시야를 속여서 그 사각으로 파고드는 보법이 바로 월령혼무보였다.

지금 이곳에 모인 수백의 무사들은 교룡회의 정예들이었다. 여느 하오문의 무사들이라면 열 명이 덤벼들어도 눈 깜짝할 사이에 해치울 실력들을 지니고 있었다.

하지만 그건 어디까지나 평범한 하오문의 무사들을 상대로 할 때였다. 지금 교룡회 무사들의 상대는 화군악이었다. 한때 무적공자(無敵公子)라는 별호로 불렸고, 오대 가문의 장로급 고수들을 해치운 실력의 소유자였다.

그러니 애당초 교룡회 무사들은 화군악의 상대가 되지 못했다. 더더군다나 그들은 저 밤의 지배자라 할 수 있는 야래향의 월령혼무보를 꿰뚫고 화군악의 종적을 알아차릴 수도 없었다.

화군악은 자유자재로 사람들의 사이를 비집고 들어서며 상대의 팔을 분지르고 복부에 일격을 날리고 다리를 부러뜨렸다.

"아악!"

"으윽!"

화군악의 보법은 기기묘묘하고 표홀해서 전면에 있다

싶은 순간 어느새 오른쪽으로 돌아가 있었고, 앞사람을 공격하고 있다고 생각하는 순간 어느새 뒷사람의 명치를 후려치고 있었다.

수백 명이 가로막고 있었지만 화군악은 일직선으로 그 무리의 중심을 가르면서 구미호 구염을 향해 다가가고 있었다.

"뭣들 해? 어서 내 앞을 막아서라니까! 저자를 더 이상 다가오지 못하게 하라고!"

구염은 계속해서 뒤로 물러서며 발작적으로 소리쳤다. 그녀의 안색은 창백해졌고, 온몸은 식은땀으로 흥건히 젖어 있었다. 심지어 찔끔찔끔 실금(失禁)하는 바람에 황금빛 오줌이 허벅지를 따라 신발까지 적시고 있었다.

"밖으로 피신하십시오!"

구미호를 지키고 있던 열한 명의 무인들 중 누군가가 소리쳤다.

"이곳은 우리에게 맡기시오!"

그들의 외침에 구염은 일순 정신을 차릴 수가 있었다.

'그렇지. 내게는 이들이 있었어.'

구염의 새파랗게 질려 있던 얼굴에 화색이 돌았다.

저 화군악의 놀라운 신위에 한순간 냉정을 잃었지만, 그래도 이들 열한 명이라면 충분히 놈을 상대할 수 있다는 생각에 그녀는 새롭게 자신감이 생겼다.

그들은 일반 하오문에서 찾아볼 수 없을 정도로 고강한 고수들이었다. 그중 한 명이 화살을 쏘아 화군악의 손아귀를 찢은 것만 봐도 충분히 알 수 있었다.

구염이 심혈을 기울여 만들어 낸 그녀의 심복들, 이른 바 구염 자신까지 포함하여 파천십이룡(破天十二龍)이라 명명한 인물들이었다.

언제고 태극천맹을 무너뜨리고[破天] 교룡이 아닌 제대로 된 용(龍)의 위엄을 보여 주겠다는 그녀의 야망이 담긴 이름이 곧 파천십이룡이었다.

구염은 호광성뿐만 아니라 강남 일대를 돌아다니면서 태극천맹과 맞서 싸울 정도의 실력과 배짱과 야망이 있는 자들을 찾았고, 무려 오 년이라는 긴 시간과 은자 백만 냥이라는 거금을 투자해서 결국 자신의 심복으로 만들 수가 있었다.

어느 조직이나 문파에 소속되어 있지 않은 채 독보강호(獨步江湖)하며 무명(武名)을 떨치던 열한 명의 낭인 고수들.

그들은 구염의 '태극천맹을 무너뜨리고 새로운 질서를 만들어 내자'라는 말을 진심으로 받아들였다.

"슬슬 바뀔 때가 되었으니까."

"이제 주변에 적수가 없어서 마침 심심하던 참이었는데, 태극천맹이라면 한번 목숨을 걸고 싸울 만하지."

"안 그래도 태극천맹 놈들이 얼마나 강한지 한번 보고 싶었거든. 아? 그런데 왜 싸우지 않았느냐고? 그야 당연하지. 일대일이라면 몰라도 쪽수에서 너무 차이가 나잖아."

"뭐, 떠들썩한 건 언제든지 환영이니까."

구염의 이야기를 들은 그들은 대부분 그렇게 말하며 그녀의 수하로 들어왔다. 물론 모든 사람이 다 그런 식으로 말한 건 아니었다.

"내 입맛에 맞는 계집들을 얼마든지 제공해 준다면야. 아, 너부터 먼저 먹고 나서."

구염은 이렇게 말한 자와 하룻밤을 지냈고, 이후 그자는 구염의 아랫도리에 홀딱 빠져서 다른 여인을 찾을 생각조차 하지 않았다.

"전 돈만 주면 돼요."

이렇게 말한 여인에게는 매달 수만 냥의 은자를 주었다.

하지만 그녀의 오빠는 과한 투자라고 말하면서 구염이 열한 명의 심복을 만든 걸 못마땅하게 여겼다. 그리고 그녀의 야망을 과대망상이라고 비웃었다.

구염은 어처구니가 없었다.

'누가 덜떨어진 네놈을 교룡회의 교룡두로 만들어 주었는데?'

교룡회의 전대 우두머리들인 오룡두를 해치운 건 오롯하게 그녀의 활약이었다.

다 늙어 빠진 노인네를 침상에 끌어들여 죽인 것도, 음식에 독을 탄 것도, 아랫도리를 빨다가 힘껏 깨물어 잘라낸 것도 모두 그녀의 작품이었다.

굳이 오빠를 교룡두로 내세우고 구 대인이라 불리게 한 건, 그가 뛰어난 자질이 있어서가 아니라 굳이 스스로 전면에 나설 필요가 아직 없다고 생각했기 때문이었다.

게다가 세상에는 아직 남존여비의 사고방식을 지닌 사내들이 많았다. 굳이 회주가 되어서 그런 자들의 질시와 분노를 사느니, 그저 오빠 잘 둔 덕분에 높은 자리 꿰찬 계집 정도로 머물러 있는 게 나았다.

그러나 구염의 오빠는 전혀 그렇게 생각하지 않은 모양이었다. 어디까지나 자신이 잘나서, 자신에게 운이 따라서 교룡회주가 되었다고 착각했으며, 또한 잘난 오빠 덕분에 구염이 호강을 누린다고 생각했다.

그런 멍청하고 오만하기만 한 오빠가 사사건건 훼방을 놓고 딴죽을 거는 걸, 결국 구염은 참지 못했다.

그리하여 그녀의 오빠 교룡두는 이미 세상을 떠났지만, 공식적으로는 교룡회의 세력을 넓히기 위해 천하를 떠돌거나 혹은 호광성 여러 지부를 순찰하는 중이었다. 영원에 가까울 정도로 아주 오랫동안 말이다.

2. 파천십이룡

"잘 싸우는데?"

오 층 양대에서 화군악이 마구 날뛰는 모습을 감상하던 장예추가 고개를 끄덕이며 중얼거렸다.

"이건 양 떼 속으로 뛰어든 호랑이 같잖아?"

아닌 게 아니라 딱 그런 상황이었다. 만약 화군악이 크게 살계를 열었더라면 벌써 수십 명, 아니 백 명 이상의 사망자가 나왔을 법한 상황이었다.

하지만 화군악은 유 노대와의 약속을 지키려는 듯 그저 팔을 부러뜨리고 다리를 부수는 것으로 상대를 무너뜨렸다.

그때 장예추의 곁에서 함께 상황을 내려다보고 있던 담우천이 말했다.

"아니, 외려 무작정 죽이는 것보다 지금 저 방식이 훨씬 나은 것 같아."

"네?"

장예추가 그를 돌아보자 담우천은 연무장에서 시선을 떼지 않은 채 말을 이었다.

"죽이지 않는 게 외려 저들에게 더 큰 공포와 두려움을 가져다주는 것 같거든."

장예추는 다시 장내를 내려다보았다.

우두둑, 우지끈!

팔다리가 부러지는 소리는 소름이 끼쳤고, 팔다리가 부러질 때마다 무사들이 내는 비명은 처절하기까지 했다.

화군악을 에워쌌던 수백 명의 무사들은 그 소름 끼치는 소리와 처절한 비명이 들릴 때마다 사색이 되었다.

결국 그들은 감당할 수 없는 공포와 두려움에 의해 주춤주춤 포위망을 열고 뒤로 물러나기 시작했다. 심지어 후미에 있던 자들은 무기를 버리고 황급히 뒤돌아 도망치기까지 했다.

공포와 두려움은 쉽게 전염되었다. 한 명의 탈주자가 발생하자 곧바로 세 명의 동조자가 생겼고, 이내 열 명이 무기를 버리고 도망쳤다.

삽시간에 전열이 무너졌고 구멍이 뚫렸다.

"좋지 않군."

지켜보던 담우천이 가볍게 눈살을 찌푸리며 말하자, 장예추도 고개를 끄덕이며 말을 받았다.

"확실히 좋지 않네요. 이러고 있을 시간이 없을 것 같은데요. 생각보다 빠르게 포위망이 좁혀지고 있어요."

"게다가 생각보다 강한 자들의 기척도 느껴지니까."

"역시 금해가 쪽 고수들일까요?"

언뜻 보면 지금 장예추와 담우천은 뜬구름 잡는 이야기를 심각하게 나누고 있었다. 하지만 유 노대와 나찰염요까지 심각한 표정을 짓고 있는 걸로 보아, 그들의 대화는 결코 뜬구름 잡는 이야기가 아닌 듯했다.

"아무래도 그렇겠지. 따로 악양 지부 쪽에 태극천맹의 본산에서 나온 절정 고수들이 있을 이유가 없다면 말이지."

"그럼 놈들이 포위망을 더 좁히기 전에 일을 마무리 지어야죠."

장예추는 힐끗 교룡회 너머, 어둠 속에 잠겨 있는 악양 시내 쪽으로 시선을 돌리며 말했다.

저 어둠 속에서 수백 명의 기척이 맹렬한 속도로 이곳 교룡회를 향해 질주해 오고 있었다.

어느 한 방향이 아닌 동서남북, 네 방향에서 거대한 해일이 밀려드는 듯한 상황이었고, 그 수백 명의 기척 중에서 장예추나 담우천이 긴장해야 할 정도의 절정 고수들도 제법 섞여 있었다.

"그럼 구미호는 내가 맡지."

말이 끝나기가 무섭게 유 노대는 훌쩍 난간 위로 도약했다. 동시에 있는 힘껏 난간을 걷어차며 허공으로 날아올랐다. 우지끈, 소리와 함께 걷어차인 난간이 부서졌다.

그게 신호였다.

담우천과 장예추, 나찰염요도 유 노대에 뒤질세라 빠르게 경공술을 펼쳐 밤하늘을 날았다. 그들의 경공술은 저마다 서로 다른 특징이 있었지만 그래도 하나, 섬전보다 빠르다는 공통점을 가지고 있었다.

먼저 경공술을 펼친 유 노대를 제외하고는 누가 먼저라고 할 것 없이, 세 사람은 거의 비슷한 속도로 밤하늘을 날았다.

반쯤 먹구름이 낀 밤하늘을 가르며 일직선으로 날아가는 그들의 신형은 그야말로 먹이를 향해 날아가는 올빼미처럼 쾌속하면서도 아무런 소음이 일지 않았다.

그런 연유로 파천십일룡들은 그들이 수백 명 교룡회 무사들의 머리 위를 날아서 자신들에게까지 날아오는 동안 전혀 눈치를 채지 못했다.

"음?"

뒤늦게 뭔가 이상한 느낌이 들어 밤하늘을 쳐다본 누군가의 안색이 급변했다. 동시에 그는 비명처럼 고함을 질렀다.

"놈들의 기습이다!"

구염을 포함한 파천십이룡은 그제야 유 노대들이 밤하늘을 가르며 날아오는 광경을 목도했다. 구염이 비단 폭 찢어지는 소리로 외쳤다.

"활을 쏴라! 놈들을 죽여라!"

구염의 뒤쪽에서 대기하고 있던 궁병들이 일제히 활을 쏘기 시작했다. 이삼십 발의 화살이 세찬 파공성을 일으키며 밤하늘을 갈랐다.

파천십이룡 중 한 명이, 조금 전 화살을 날려 화군악의 손아귀를 찢었던 바로 그자도 세 개의 화살을 시위에 올린 다음 가공할 속도로 쏘아 보냈다.

그의 화살은 궁병들의 화살보다 늦게 쏘아졌지만, 훨씬 빠른 속도로 유 노대를 향해 파고들었다.

"어딜!"

유 노대는 소리치며 쌍장을 휘둘렀다.

파천십이룡이 쏘아 올린 화살은 유 노대가 허공을 휘저으며 만들어 낸 바람의 장벽에 막혀 튕겨 나가거나 혹은 비껴 나갔다. 뒤늦게 날아든 궁병들의 화살도 마찬가지였다.

교룡회 사람들 중에서 제법 활을 잘 다루는 자가 있다는 건 조금 전 화군악의 상황을 보면서 이미 알고 있었다.

만약 모르는 상황에서 기습을 당한다면 모르되, 미리 인식하고 있는 참에 날아오는 화살은 아무리 가공할 정도의 위력이 실려 있다 하더라도 큰 위협이 될 수 없었다.

어느새 파천십이룡 머리 위까지 다다른 유 노대는 허공에서 멋들어지게 방향을 선회하며 그대로 그들의 한복판으로 내려섰다.

구염을 제외한 파천십일룡이 병장기를 꺼내 들고 일제히 그에게 공격을 퍼부으려 했다.

"우리도 있다!"

바로 그 순간, 또 다른 목소리가 그들의 머리 위에서 들려왔다. 파천십일룡은 본능적으로 위험을 감지하고 무기를 거둬들이며 화들짝 몸을 피했다.

가공할 무위가 실린 장력들이 방금 전까지 그들이 서 있던 자리에 내리꽂혔다.

쾅! 쾅! 쾅!

격렬한 폭음이 이어지며 흙먼지가 분수처럼 솟구쳐 오르더니 이내 사방으로 퍼져 나갔다.

눈을 감거나 고개를 돌려 외면하는 주변의 교룡회 무사들과는 달리, 파천십일룡은 잔뜩 긴장한 표정으로 시선을 떼지 않은 채 그 흙먼지 속을 주시했다.

그 일면의 모습만으로도 이 파천십일룡이라는 자들이 결코 평범한 고수가 아님을 충분히 알 수 있었다.

흙먼지가 가라앉기도 전, 네 개의 신형이 그 흙먼지 사이에서 튀어나왔다.

파천십일룡은 기다렸다는 듯이 검과 창을 찌르고, 칼을 휘두르며 도끼를 던지고 활을 쏘았다.

그들의 검과 창은 정확하게 상대의 복부와 가슴을 관통했고, 그들의 칼은 상대의 목을 베었다. 또한 그들의 화살 역시 완벽하게 상대의 심장을 꿰뚫었다.

파천십일룡의 입가에 승리의 미소가 스며드는 순간, 이내 그들의 얼굴이 추할 정도로 심하게 일그러졌다.

"이런……."

"우리 편이었잖아?"

"그럼 놈들은?"

그들은 당황해하며 주위를 살폈다.

흙먼지를 뚫고 튀어나온 네 개의 신형은 모두 다 교룡회 무사들이었다.

즉, 놈들은 흙먼지가 사방을 뒤덮어 시야가 가려진 상황에서 교룡회 무사들을 잡아 내던지는 것으로 교란을 펼쳤던 게다.

그렇게 파천십일룡이 엉뚱한 자들을 적으로 생각하고 공격을 퍼붓는 동안, 놈들 그러니까 유 노대 일행은 좌우로 크게 돌아서 교룡회 무사들의 가장 후미, 궁병들이 대기하고 있는 곳까지 파고들었다.

"컥."

"으윽."

짧은 비명과 신음이 한숨처럼 흘러나오면서 순식간에 십여 명의 궁병들이 앞으로 꼬꾸라지고 뒤로 나자빠졌다. 제 옆자리의 동료들이 픽픽 쓰러지는 걸 확인한 후, 그제야 비로소 궁병들은 안색이 새파랗게 질렸다.

"적이다!"

"적이…… 커억!"

궁병들이 계속해서 속절없이 쓰러지는 사이로 유 노대가 한 걸음 앞으로 나섰다.

느닷없는 궁병들의 비명과 고함 소리에 놀라 뒤돌아 선 구미호 구염 앞에 유 노대가 우뚝 서 있었다.

"어, 언제 여기까지……."

그를 쳐다보는 구염의 눈빛이 파르르 떨렸다.

3. 완벽한 합격술(合擊術)

유 노대들에게 속았다는 사실을 알게 된, 그리고 유 노대들이 좌우로 빙 돌아가서 후미에 대기하고 있던 궁병들을 해치우고 있다는 것을 알게 된 파천십일룡은 그야말로 크게 분노했다.

"이 미꾸라지 같은 자식들이!"

"정정당당하게 싸우지도 못하다니, 무림인이라는 게 부끄럽지도 않더냐?"

그들은 고함치며 몸을 날렸다.

순식간에 열한 명의 무인이 구염을 뛰어넘어 유 노대에게 공격을 퍼부었다.

그들은 구염이 전국을 돌아다니며 엄선해서 뽑은 고수들이었다. 열한 명 모두 하나같이 날카롭고 매서우며 강력한 공격을 퍼부었는데, 유 노대조차 쉽게 상대하지 못할 정도의 파상공세였다.

그러나 이쪽도 유 노대만 있는 게 아니었다.

어느새 이삼십 명의 궁병을 모두 정리한 담우천과 장예추, 나찰염요가 앞으로 나서며 유 노대와 함께 파천십일룡의 공세에 맞섰다.

장예추의 검이 허공을 갈랐고, 담우천의 검은 정확하게 상대의 무기를 찔러 갔다. 나찰염요는 어느새 펼쳐 든 구절편(九節鞭)을 난무하여 파천십일룡의 공세를 파훼했다.

구절편은 아홉 마디로 된 채찍을 가리키는데, 나찰염요의 구절편은 따로 환희색흔구절편(歡喜索欣九節鞭)이라는 이름을 지녔다.

과거 그의 동료였던, 하지만 지금은 이 세상에 존재하지 않는 무투광자(武鬪狂子)라는 자가 그 이름에 대해서 물어본 적이 있었다.

"환희색흔구절편이라니, 무슨 채찍 이름이 그래?"

당시 나찰염요는 요염한 미소를 지으며 이렇게 대꾸했다.

"오라버니도 한번 맞아 보면 알 거예요."

무투광자는 그렇게 말하며 씨익 웃는 그녀의 표정과 구절편을 번갈아 바라보다가 왠지 등골을 파고드는 께름칙한 기분에 얼른 자리를 피했다.

평소에는 한 대 맞을 때마다 남정네들이 환희를 느끼고 색정을 토해 낸다는 채찍이었으나, 적을 상대로 사용할 때는 전혀 달랐다.

마디 하나의 길이는 이 척(尺), 아홉 마디의 길이가 십팔 척이 넘는 긴 채찍이 한 번 허공을 가를 때마다 주변 공기가 겁에 질려 파르르 떨며 우웅! 하고 울었다.

지면을 내리치면 쩌엉! 하는 소리와 함께 땅이 갈라지는 듯했고, 나무를 후려치면 아름드리나무도 허무하게 두 동강이 났다.

제대로 사용할 줄 아는 자가 다루는 구절편은 천하의 그 어떤 무기보다도 더 무섭고 강력하며 무자비했다. 특히 구절편이 거대한 구렁이처럼 꿈틀거리며 움직이는 공간 내, 반경 이 장 이내에서는 가히 천하무적이라 할 수 있었다.

구절편이 무시무시하고 요란한 파공성을 일으키며 춤을 추자, 파천십일룡은 더 이상 공격을 감행하지 못하고 뒤로 물러나야만 했다.

그들은 이를 악물고 무기를 고쳐 쥐며 재정비를 하려 했다. 하지만 다음 순간, 그들은 저도 모르게 눈을 휘둥그레 뜨며 자신들의 병장기를 내려다보았다.

"어?"

"뭐야, 이건?"

믿을 수 없는 일이었다.

그들의 칼과 검과 창과 도끼는 날 내부부터 쩍 하고 금이 나가 있었다.

마치 거대한 망치를 가지고 금강석(金剛石)으로 만든 정을 내리친 것처럼, 혹은 돌멩이에 맞은 유리창처럼, 병장기의 날은 거미줄처럼 얇고 미세한 금으로 뒤덮여 있었다.

만약 그 상황에서 내력을 주입한다면 그들의 병장기는 그 순간 폭발하듯 산산조각이 날 게 분명했다.

있을 수 없는 일이 일어난 것이다. 믿을 수 없을 정도로 경이롭고 신비하기까지 한 일이었다.

파천십일룡은 하나같이 마른침을 꿀꺽 삼켰다.

그들은 저도 모르게 조금 전의 상황을 떠올렸다. 이제 와서 생각해 보면 저자들의 검은 허공을 가르거나 파천십일룡의 무기를 막은 게 아니었다.

그 찰나의 순간, 검과 검이 교차하고 칼과 검이 엇갈리며 순간적으로 생사가 오가는 그 일촉즉발의 순간, 저자들은 냉정하고 침착하게 오로지 파천십일룡의 병장기만을 노리고 파괴했던 것이다.

'강하다.'

'고수들이야. 그것도 엄청난 고수…….'

파천십일룡의 얼굴이 공포와 두려움의 기색이 스며들었다.

한 지역의 패자(霸者)까지는 아니더라도 나름대로 자신들의 무위에 자신이 있던 그들이었다.

또 그랬기에 태극천맹을 무너뜨리고 새로운 왕좌의 자리를 차지하겠다는 구염의 원대한 야망에 기꺼이 동참하기도 했다.

하지만 또 그렇게 뛰어난 실력을 지니고 있었기 때문에 알 수가 있는 것이다. 지금 바로 앞에 서 있는 자들이 자신들보다 두어 배 이상 강한 고수라는 사실을.

'그 현격한 차이를 미처 몰라봤다는 건 그만큼 우리가 약하다는 방증이겠지.'

'우리가 좀 더 강했더라면 낮에 처음 봤을 때부터 알아차렸을 거야.'

파천십일룡은 마른침을 꿀꺽 삼키며 그렇게 생각했다.

마음 같아서는 당장 뒤돌아서, 몇몇 교룡회 무사들이 그랬던 것처럼 무기를 던져 버리고 머리를 감싸 쥔 채 도망치고 싶었다.

구염과의 약속이니 원대한 야망이니 하는 것들을 모두 집어던지고 이 자리에서 사라지고 싶었다. 딱히 자신들의 목을 걸 정도로 구염에 대한 충성심이 대단한 것도 아니었으니까.

하지만 그들은 도망치지 않았다. 무기를 던지지도 않았고, 머리를 감싸 쥐지도 않았다.

외려 그들은 더욱더 단단하게 병장기를 고쳐 쥐었다. 단 한 번의 부딪침으로 산산조각이 날지도 모르는 상황이었지만, 잔뜩 금이 간 무기들은 그래도 지금껏 자신과 함께 살아오고 성장해 온 애병(愛兵)이었다.

부서질 때는 부서지더라도 버릴 수는 없었다. 마치 그들의 자존심이나 명예나 긍지처럼 말이다.

"호오."

담우천은 파천십일룡이 새롭게 마음을 다지고 자세를 고쳐 잡는 걸 보고는 살짝 고개를 끄덕였다.

"함부로 죽이지 말라는 말씀이 있어서 실력 차이만 보여 주려 했거늘, 역시 여느 무림인답게 죽어야만 비로소 무기를 버릴 것 같군그래."

파천십일룡은 이를 악물었다.

담우천의 말은 그들의 투지에 대한 칭찬이 절대 아니었다. 도망쳐야만 할 때도 도망치지 못하는 무림인들의 알량한 자존심과 어쭙잖은 오기를 비웃는 것이었다.

차라리 '두고 보자'라는 한마디를 남기고 줄행랑을 치는 하오문의 졸개들이나 뒷골목의 불량배들이 훨씬 더 현실적이고 이성적이라는 의미였다.

복수도 살아남아야만 할 수 있는 법이다. 또한 현격한 실력 차이를 인정하고 훗날을 도모하는 건 결코 부끄러운 일이 아니었다.

하지만 무림인들은 그 자존심과 오기를 꺾지 못하고 불나방처럼 죽음을 향해 덤벼들었다. 파천십일룡도 꼭 그 꼴이라는 게 지금 담우천의 이야기였던 게다.

"웃기지 마라."

파천십일룡 중 한 명이 담우천을 노려보며 말했다.

"네놈이 강한 건 알겠다. 하지만 그렇다고 해서 사람을 능욕하고 비웃을 자격이 있는 건 아니다."

"아니, 그럴 자격이 있어."

화군악이 냉정하게 말했다.

"적어도 강호 무림에서만큼은 힘이 곧 법이니까. 힘 있는 자는 무슨 말을 해도 어떤 짓을 해도 다 용납되잖아? 지금까지 네놈들이 해 왔던 것처럼."

파천십일룡은 발끈해서 소리치려 할 때였다. 담우천이 먼저 입을 열었다.

"놀고 있을 시간이 없다. 최대한 빨리 끝내자."

화군악이 고개를 끄덕였다.

"그러죠."

라는 말이 끝나기도 전이었다. 화군악은 지면을 박차면

서 파천십일룡을 향해 몸을 날렸다.

단거리에서는, 그리고 달빛이 내려앉은 한밤중에는 그 어떤 신법보다도 빠르다는 월령투영신(月靈透影迅)의 신법이 펼쳐졌다.

파천십일룡이 "어?" 하는 순간 이미 화군악은 그들의 코앞에 이르렀고, 그들이 병장기를 휘두르려 할 때 이미 화군악의 손이 그들의 가슴을 후려치고 있었다.

펑! 펑!

마치 북 치는 듯한 소리가 연거푸 들리는 동시에 파천십일룡 중 서너 명의 신형이 밤하늘 높이 솟구쳤다가 이내 줄 끊어진 연처럼 추락했다.

그중에는 조금 전 화군악의 손아귀에서 피를 보게 했던 궁사(窮士)도 포함되어 있었다.

남은 파천십일룡은 당황하는 와중에도 반사적으로 병장기를 휘둘러 화군악의 빈틈을 찌르고 쑤시려 했다.

그러나 적은 화군악 뿐만 있는 게 아니었다.

어느 틈에 그들의 뒤로 돌아선 장예추가 가볍게 검을 뻗었고, 순식간에 파천십일룡의 좌우로 자리를 옮긴 담우천과 나찰염요가 그들의 양옆에서 검과 채찍을 휘둘렀다.

유 노대는 화군악을 노리고 덤벼드는 자들을 향해 대하(大河)처럼 도도하고 유장하게 뿜어져 나오는 장력을 발출했다.

다섯 명은 마치 오랜 세월 동안 함께 손발을 맞춘 듯 완벽하게 합격술(合擊術)을 펼쳤고, 파천십일룡은 그들의 절묘하고 일사불란한 합공에 그만 손발이 어지러워져 제대로 대응 한 번 하지 못한 채 나가떨어졌다.

  그게 끝이었다.

6장.
격(格)의 차이

그런 천하제일의 고수라면 쓸데없는 살생(殺生)보다는
사람을 구휼(救恤)하고 인명을 구제(救濟)하는 쪽에
더 신경을 쓰지 않았을까?

1. 불나방 같은 놈들

바로 뒤쪽에서 그 광경을 지켜보던 구염의 안색이 새파랗게 질렸다.

믿을 수가 없었다.

파천십일룡은 그녀가 수년 동안 전국을 돌아다니며 각고의 노력 끝에 구한 열한 명의 고수였다. 그런데 저 평범해 보이는 노인과 중년 사내들, 그리고 계집의 공격에 단 일합도 견디지 못한 채 쓰러진 것이다.

그나마 다행일까.

파천십일룡 모두 목숨을 잃지는 않았다. 조금 전, 원숭이처럼 생긴 중년 사내의 말마따나 손속에 정을 남겨 둔 모양인지, 파천십일룡은 쉽게 거동할 수 없을 정도의 중상을 입었을 뿐이었다.

하지만 외려 그게 더 두렵고 무서운 일이었다. 죽이는 것도, 살리는 것도 모두 자신들의 뜻대로 할 수 있다는 본보기를 보여 준 셈이었으니까.

화군악들은 아무렇게나 쓰러진 채 연신 검붉은 피를 게워 내고 있는 파천십일룡을 지나쳐 구염에게로 다가섰다.

구염은 부들부들 떨면서 두 손을 모았다.

"사, 살려 주세요."

유 노대가 가볍게 탄식하며 말했다.

"누가 자네를 죽인다고 했더냐? 단지 몇 가지 물어볼 게 있을 따름이다."

구염은 잔뜩 공포에 질린 상황에서도 불현듯 어처구니가 없다는 생각이 들었다.

"겨우 몇 가지 물어보려고 이 사달을 만들었다고요?"

유 노대는 그녀의 시선에 따라 주위를 둘러보았다. 절로 한숨이 흘러나왔다. 아닌 게 아니라 처참하기 이를 데가 없는 광경이었다.

마치 전쟁이라도 벌어진 것처럼 백여 명의 무사들이 연무장 드넓은 곳에 아무렇게나 쓰러진 채 신음을 흘리고 있었다.

발이 부러진 자, 팔이 박살 난 자, 머리가 깨져 피가 줄 줄 흐르는 자들이 한데 뒤엉킨 채 끙끙거리는 모습은 마치 지옥도(地獄道)와 같았다.

물론 다치거나 도망친 자들 외에, 아직 제자리에 서 있는 무사들의 수도 백여 명이 더 되었다.

그러나 이미 그들은 싸울 의사가 없는 듯, 어깨를 축 늘어뜨린 채 주춤주춤 물러서며 구염과 유 노대들을 바라보고 있었다.

연무장을 둘러보던 구염은 눈물을 흘리며 하소연하듯 말했다.

"몇 가지 물어볼 게 있다면 정중하게 찾아와서 물어보면 되잖아요? 이렇게 내 수하들을 마구 패고 때리지 않아도 되었잖아요?"

유 노대는 재차 한숨을 쉬며 말했다.

"처음에는 정식으로 찾아왔었네. 하지만 교룡회의 무사들이 자네를 만나지 못하게 끝까지 방해하더군. 그래서 낮에 홀로 다시 들러 자네를 만나려고 했지만 역시 만날 수가 없었네."

"그렇다고 이런 피바다를 만들면 속이 시원하세요?"

"그게 어찌 내 잘못이고, 우리의 잘못인가? 모두 자네……."

"네, 그렇죠. 생면부지의 노인네가 갑자기 찾아와서, 초청장이나 소개장도 없이 무작정 회주를 만나겠다고 했는데도 감히 우리 무사들이 '어서 오십쇼' 하고 안내하지 못한 죄가 크네요. 어렵히 알아뵙고 무릎을 꿇어야 했는데 말이죠."

그녀가 줄줄 눈물을 흘리면서 항변하자 유 노대는 "끄응." 하며 입을 다물었다. 억지가 섞인 항변이었지만 나름대로 일리가 없지는 않았던 것이다.

"예서 이렇게 길게 이야기하고 있을 시간이 없습니다, 유 사부."

담우천이 한 걸음 앞으로 나서며 입을 열었다.

"자세한 이야기는 돌아가서 하기로 하죠. 지금은 최대한 빨리 이곳을 빠져나가는 게 급선무이니까요."

담우천은 그렇게 말하며 구염을 향해 손을 뻗었다. 구염은 황급히 뒤로 물러나며 앙칼지게 소리쳤다.

"어딜 만지려는 것이냐?"

구염은 표독스러운 표정을 지으며 마구 쌍장을 휘둘러 담우천의 손길을 막으려 했다.

그녀의 손속은 나름대로 빠르게 매서워서 일반 하오문의 무사들과는 비교과 되지 않을 정도의 무위를 지녔음을 보여 주고 있었다.

하지만 상대는 어디까지나 담우천이었다. 아무리 세력이 크다 한들, 교룡회는 어디까지나 하오문 중의 하나에 불과했으며 그곳의 수장인 구염 또한 일류급의 수준에서 벗어날 수가 없었다.

담우천의 손길은 어이없을 정도로 수월하게 구엽의 쌍
장 사이를 뚫고 그녀의 팔뚝을 움켜쥘 수가 있었다.

"놔라!"

구엽이 기겁하며 소리칠 때였다.

느닷없이 칼 한 자루가 그녀의 팔뚝을 움켜쥔 담우천의
손목을 노리고 날아들었다.

전혀 생각하지 못했던 의외의 기습이었던지라 담우천
도 어쩔 수 없이 팔뚝을 놓아주는 동시에 손목을 비틀어
날아오는 칼을 후려쳤다.

화살처럼 빠르게 날아들던 칼은 산산조각이 나며 사방
으로 흩어졌다. 동시에 짝! 하면서 채찍 후려치는 소리가
일었고, "윽!" 하는 신음이 이어졌다.

칼을 던진 자는 땅바닥에 나뒹굴고 있던 파천십일롱 중
한 명이었으며, 뒤늦게 그 사실을 알고 분노한 나찰염요
가 그를 향해 채찍을 휘갈겼다.

한 대 맞으면 환희와 색욕의 신음을 토해 낸다는 소문
과는 달리, 칼을 던진 사내는 그 한 번의 채찍질에 얕은
신음을 흘려 내기가 무섭게 머리통이 박살 난 채 그대로
즉사했다.

"마천!"

구엽은 죽은 사내의 이름을 소리쳐 불렀다. 그녀의 두
눈에는 원독(怨毒)의 빛이 일렁거렸다.

하지만 그 눈빛과 표정과는 달리 어느새 그녀는 서너 장 뒤로 물러나 있었고, 이십여 명의 교룡회 무사들이 그녀와 담우천 사이로 뛰어들었다.

"뭣들 하느냐! 모두 죽기 살기로 구 아가씨를 지켜라!"

구염 앞으로 달려온 무사들이 잔뜩 흥분한 어조로 소리치자, 뒤쪽으로 물러나 있던 무사들도 입술을 깨물고는 다시 무기를 고쳐 쥐며 슬금슬금 앞으로 나왔다.

구염은 좌우를 살피면서 크게 외쳤다.

"잘 봐라! 놈들은 너희들을 죽이지 못한다! 기껏해야 팔다리를 부러뜨릴 뿐이니, 오늘 용기와 담대함을 보여 주는 자에게는 큰 상을 내릴 것이야!"

그녀의 독려가 먹힌 것일까. 아니면 큰 상을 주겠다는 말에 현혹당한 것일까.

서로 눈치를 살피며 슬금슬금 움직이던 백여 명의 무사들 중 한두 명이 갑자기 고함을 터뜨리며 덤벼들었다.

그게 시발점이 된 듯, 이내 백여 명 모든 무사들이 동시에 커다란 함성을 내지르며 담우천 일행을 향해 미친 듯이 달려들었다.

"허어, 이 불나방 같은 놈들 좀 보게."

화군악이 한숨을 쉬며 중얼거렸다.

"기껏 죽이지 않은 걸 두고 왜 죽이지 못하는 거라고 착각하는 걸까? 진짜 목숨을 잃어야 정신을 차릴까?"

"미안하네. 모두 내 탓이네."

유 노대가 사과하자 화군악은 고개를 저으며 말했다.

"유 사부는 미안해할 게 없어요. 그저 상황 판단도 제대로 할 줄 모르는 저 멍청한 녀석들이 문제인 거죠."

그렇게 유 노대를 달랜 화군악은 다시 개미 떼처럼 달려오는 무사들을 돌아보면서 벼락처럼 소리쳤다.

"죽어라!"

동시에 그는 손을 들어 손가락을 뻗었다.

파앙!

한껏 공기가 압축되었다가 한순간에 폭발하는 듯한 소리가 그의 손가락에서 터져 나오나 싶더니, 그 폭음과 함께 새하얀 섬광이 일직선으로 뿜어져 나갔다.

앞서 달려오던 무사 중 한 명의 이마에 구멍이 뻥 뚫렸고, 허공에 피를 뿌리면서 그대로 뒤로 나가떨어졌다.

화군악이 다시 손가락을 뻗으며 소리쳤다.

"죽어라!"

파앙!

다시 한번 그 요란한 소음이 터졌고, 일직선으로 발출된 섬광이 또 다른 무사의 이마에 구멍을 뚫었다. 무사는 비명도 지르지 못한 채 나가떨어졌다.

그렇게 연거푸 대여섯 명이 횡사(橫死)하자, 백여 명의 무사들은 사색이 되어 더 이상 달려들지 못했다.

공포와 두려움이 그들의 전신을 지배한 듯, 도망치지도 덤벼들지도 못한 상태로 그들은 마치 그 자리에 얼어붙은 것처럼 꼼짝도 하지 못했다.

"꼭 이렇게 죽는 꼴을 봐야 정신을 차리는 거야? 대충 봐주면 알아서 기어야 할 것 아냐? 어린애들도 아니고 오냐오냐해 주면 꼭 머리끝까지 기어오르려고 한다니까!"

화군악은 짜증을 부리면서 구염을 쏘아보았다.

"네년도 마찬가지야! 순순히 포기하고 말만 잘 들으면 다치지도 않을 일인데, 수하들의 목숨까지 버려 가면서 왜 그리 뻗대는데? 네년의 그 알량한 자존심이 허락하지 않대? 한 줌 거리도 안 되는 그 자존심이 목숨보다 소중하대?"

구염은 화군악의 욕설에도 불구하고 입을 열지 못했다. 그녀의 두 다리는 지금 서 있는 게 용하다 할 정도로 심하게 떨고 있었다.

격(格)의 차이.

그랬다.

현격한 무공의 차이. 도저히 항거할 수 없는 수준 차이. 한두 수 차원이 아닌 서너 배 이상의 압도적인 차이였다.

구염은 방금 전 화군악이 보여 준 일련의 신위로 처절하게 깨달을 수 있었다. 그녀는 고양이 앞의 쥐, 뱀 앞의 개구리, 호랑이 앞의 양과 같은 존재조차도 되지 못한다는 사실을.

하기야 지금 화군악이 펼친 지공(指功)은 저 공적십이마 중 한 명인 야래향의 절기인, 그것도 화후의 경지에 이른 월령일섬지(月靈一閃指)였다.

오대가문의 하나인 철목가 가주 정극신조차 식은땀을 뻘뻘 흘려 가며 겨우 피했던 지풍이었으니, 이 연무장에 모여 있는 교룡회 무사들은 자신들이 어떻게 당했는지조차 모르고 죽을 수밖에 없었을 것이다.

화군악은 아랫도리를 흠뻑 적신 채 부들부들 떨고 있는 구염을 바라보며 냉랭하게 말했다.

"이제 속이 시원해? 수하들이 피를 흘리고 목숨을 잃는 걸 보니 즐겁고 기뻐? 응, 그런 거야?"

구염이 아무 말도 하지 못할 때였다. 장예추가 화군악을 향해 빠른 어조로 말했다.

"얼른 그녀를 데리고 돌아가자. 적들이…… 이런, 이미 늦은 것 같군."

장예추는 말을 하다가 말고 한숨을 내쉬며 중얼거렸다.

바로 그 순간이었다.

"노옴!"

벽력 같은 고함과 함께 거대한 신형이 밤하늘 저편에서 유성(流星)처럼 떨어져 내렸다.

얼마나 가공할 기세로 폭사해 왔는지 화군악과 장예추들은 저도 모르게 몇 걸음 뒤로 물러나며 그가 지면에 내리꽂히는 광경을 구경했다.

콰앙!

격렬한 굉음과 함께 한 사내의 신형이 구염과 화군악 사이로 떨어졌다. 그 충격을 견디지 못한 지면이 움푹 파이면서 다시 한번 흙먼지의 소용돌이를 일으켰다.

담담한 눈빛으로 그 광경을 지켜보던 담우천이 문득 중얼거렸다.

"군림패도(君臨覇道)라…… 오랜만에 보는군."

2. 군림패도(君臨覇道)

몸을 가볍게 하여 약간의 진기만을 이용하여 움직임의 속도를 빠르게 하는 공부(功夫)를 가리켜 경공술(輕功術)이라 통칭했다.

하지만 무릇 모든 무공이 다 그러하듯 경공술도 여러 갈래로 나뉘니, 경신법(輕身法), 신법(身法), 신법(迅法), 보법(步法)들이 그 갈래에 포함된다 할 수 있었다.

어쨌든 기본적으로 경공술은 몸을 가볍게 하는 것과 약간의 진기를 사용한다는 점이 특징인 바, 경공술을 펼치

는 것만으로는 주변의 어떤 사물이나 대상에게 특별한
위력을 발휘하지 못했다.

경공술에서 여러 갈래로 나뉘는 모든 무공 또한 그 범
주에서 벗어나지 않았다.

그러나 예외 없는 법칙이 없다고, 경공술 또한 그 특징
에서 벗어나는 수법들이 존재했다. 지금 화군악과 구염
사이로 운석(隕石)처럼 떨어져 내린 사내의 군림패도가
바로 그러한 수법이었다.

군림패도라는 수법은 중신법(重身法)을 통해 한껏 몸을
무겁게 만든 다음, 진기의 대부분을 사용하여 펼치는 경
공술이었다.

비록 진기의 소모는 심하지만 오로지 경공술을 펼치는
것만으로 제대로 된 위력과 강력한 무위를 발출할 수 있
는 무공이 된다.

즉, 군림패도의 수법을 펼치는 도중에 시전자와 부딪친
사람은 마치 미친 듯이 질주하는 팔두마차와 부딪친 충
격을 입고 허공으로 날아가게 된다.

심지어 그 앞을 가로막는 것이라면 아름드리나무나 천
근 바위도, 대문도, 돌담 벽도 가리지 않고 부수고 파괴
하며 일직선으로 나아가는 경공술이 바로 군림패도였다.

또한 그 주변으로는 막강한 경기(勁氣)가 뿜어져 나와
서 쉽게 접근하거나 공격할 수도 없어서, 그야말로 공수

(攻守)가 모두 되는 경공술이라 할 수 있었다.

담우천은 과거 정사대전 당시 정파 연합의 고인(高人) 중에서 그 군림패도의 경공술을 펼치는 인물을 본 적이 있었다.

즉, 지금 흙먼지의 회오리 속에서 천천히 걸어 나오고 있는 저 사내는 그 고인의 제자일 가능성이 농후했다.

흙먼지가 천천히 가라앉는 가운데 그 사내는 마치 호랑이의 그것 같은 눈빛으로 정면을 쏘아보면서 등 뒤의 구염에게 말했다.

"미안하오. 조금 늦었소."

우렁우렁한 목소리.

화군악 일행은 그 목소리를 이미 들을 바가 있었다. 화군악의 얼굴이 살짝 굳어졌다.

'송강우.'

그랬다. 흙먼지가 가라앉으면서 드러난 사내의 정체는 바로 태극천맹 악양 지부주 송강우였다.

"마침 원군을 요청한 금해가에서 약간의 문제가 생긴 바람에 그걸 해결하느라 조금 늦었소. 하지만 덕분에 보다 많은 고수들을 모셔 올 수 있었소."

송강우의 말에 화군악의 얼굴이 재차 굳어졌다. 장예추도 입술을 깨물며 내심 심각하게 중얼거렸다.

'이곳으로 몰려드는 기척들 중에 상당한 경지의 고수들

로 짐작되는 기척이 몇 있었던 이유가 바로 그것이었구나.'

담우천과 장예추가 굳이 서둘러 구염을 포획하고 이 자
리를 뜨려 했던 이유가 바로 그것이었다.

사실 태극천맹이나 금해가의 일반 무사들은 지금의 담
우천들에게 별다른 타격이 되지 못했다. 언제든지 마음
만 먹으면 그들의 포위망을 뚫고 도주할 능력이 담우천
들에게는 있었다.

하지만 송강우나 그 이상 되는 실력자가 있는 경우라면
조금 상황이 달라졌다. 그 수가 얼마나 되느냐에 따라서
담우천들의 움직임이 제한될 수 있었다.

또한 아무리 담우천들이라 할지라도 체력이나 내공이
무한정 솟거나 끊이지 않고 이어질 리가 없었다.

고수들과의 격전이 계속 이어진다면 체력의 저하와 내
공의 고갈로 인해 일반 무사들조차 쉽게 상대하기 어려
워질 수밖에 없었다.

바로 그 점을 가장 조심해야 하는 담우천과 그 일행들
이었다.

'하지만 도주하기에는 이미 늦었다.'

담우천은 주변의 기척을 감지하며 내심 중얼거렸다.

'이미 놈들은 이 주위로 네 개의 포위망을 겹겹이 에워
싸는 중이다. 그 포위망이 완벽하게 구축되는 동시에 놈
들의 최정예 무사들이 날아들겠지.'

아닌 게 아니라 지금 교룡회 본산 주변에는 수백 명의
무사들이 빽빽하게 모여서 포위망을 형성하고 있었다.

공적십이마나 구천십지백사백마 같은 사마외도의 최절
정 고수들을 상대하기 위해 만든 포진 중의 하나인 태극
결쇄포망진(太極結鎖捕網陣)이었다.

'어쩔 수 없지. 이렇게 된 이상……'

담우천은 정면의 송강우를 바라보며 생각했다.

'한 명만 사로잡으려 했던 계획을 두 명을 사로잡는 걸
로 바꾸면 되는 일이다.'

담우천이 그렇게 계획은 바꾸는 동안, 화군악들에게서
시선을 떼지 않은 채 제 등 뒤의 구염에게 사과하던 송
강우는 드디어 화군악과 동료들을 향해 분노의 목소리를
토해 냈다.

"본 맹의 중재를 무시하고 도망쳤다가 다시 돌아와 교
룡회의 수많은 무사를 해친 죄, 결코 본 맹은 용납하거나
좌시하지 않을 것이다."

송강우는 아예 화군악들은 범죄자 취급하며 말까지 놓
고 있었다.

"지금이라도 늦지 않았다. 무기를 버리고 항복하면 그
점을 참작하여 목숨만은 살려 줄 터이니."

송강우의 말에 화군악이 피식 웃었다.

"누가 누구를 살려 준다는 거지?"

화군악은 도발적인 눈빛으로 송강우를 바라보며 말을 이어 나갔다.

"태극천맹의 고수들이 도와준다고 해서 우리가 벌벌 떨 줄 알았나? 웃기지 마라. 태극천맹 전체가 몰려와도 눈 하나 깜빡이지 않을 우리다. 어디서 감히 협박질이냐?"

"흠. 진짜 말로 해서는 도저히 상종하지 못할 종자들이로군. 그럼 지금 네가 한 말이 네 동료들 전체의 의지라고 생각해도 되겠지?"

"헛소리 말고 덤비기나 해. 아니면 네놈이 들먹거리는 그 태극천맹 고수들이 도와주러 올 때까지 기다릴 거야?"

"허어."

송강우가 어이가 없다는 듯이 탄식했다. 구염이 그의 등 뒤에서 절규하듯 소리쳤다.

"악마 같은 자들이에요! 결코 말로 해서는 알아듣지 못하는 짐승 같은 놈들이라고요! 당장 모두 목을 베는 것으로 억울하게 죽은 내 수하들의 원한을 풀어 주세요!"

고막이 찢어질 것 같은 날카로운 목소리에 송강우는 가볍게 눈살을 찌푸렸지만, 그는 구염의 절규에 대응하지 않은 채 시선을 유 노대에게로 옮기며 입을 열었다.

"마지막 경고요."

그는 차분하지만 뜨거운 열기와 분노가 갈무리된 목소리로 말했다.

"그래도 귀하가 곤륜파 노선배라고 믿기에 하는 경고요. 동료들을 설득하여 무기를 버리라고 하시오. 그렇지 않으면 그 화(禍)가 결국 귀하의 사문으로까지 번지게 될 것이오."

"허어."

유 노대도 한숨을 내쉬었다.

낮에도 그의 입을 통해서 지금과 비슷한 이야기를 들은 기억이 떠올랐다. 아무래도 이 송강우라는 자, 경고니 화니 하는 말밖에 할 줄 모르는 모양이었다.

유 노대는 고개를 설레설레 흔들다가 입을 열었다.

"그건 경고가 아니라네, 젊은 친구. 외려 듣는 사람의 화를 돋우게 만드는 협박인 게야. 거기에다가 가만히 듣다가 보면 절로 설득이 되어서 고개를 끄덕이게 만들거나 자신의 행동을 후회하게 만드는 게 아니라, 외려 자존심을 건드리고 체면을 깎아내려서 듣는 이로 하여금 반발케 만드는 말투인 게고. 누가 자네의 그런 말을 듣고 순순히 무기를 버리겠는가?"

나름대로 정파의 후배에게 해 주는 조언이라 할 수 있었지만 송강우는 전혀 개의치 않았다. 그는 무뚝뚝한 눈빛으로 유 노대를 바라보며 물었다.

"결국 무기를 버리지 않겠다는 것인가?"

"내 조언을 무시하지 말게."

유 노대는 침착하게 말했다.

"만약 자네가 이 밤을 버티고 살아남는다면, 그리고 나이가 들어 과거의 이 밤을 돌아본다면 반드시 후회하게 될 것이니까."

"알겠다."

송강우는 칼을 빼 들었다. 톱니처럼 날카로운 이빨들이 번들거리는 거치도(鉅齒刀)였다.

담우천은 그 칼을 본 순간, 확신한다는 듯이 고개를 끄덕이며 중얼거렸다.

"역시 패도천왕(覇刀天王)의 제자였던 게로군."

나지막한 소리였지만 송강우는 그 말을 들은 듯 안색을 싸늘하게 굳히면서 담우천을 노려보았다.

"내 사부를 아는가?"

담우천은 무심한 표정으로 무덤덤하게 대꾸했다.

"그대의 사부와 면식이 없다 하더라도, 군림패도의 신법에 거치도를 사용하는 이라면 누구나 패도천왕을 떠올릴 것이네."

"그렇군."

유 노대가 뒤늦게 그 사실을 알아차렸다는 듯이 고개를 크게 끄덕이며 입을 열었다.

"확실히 그 광오하고 미친 늙은이가 아니면 거치도를 들고 군림패도의 경공술을 펼치는 사람이 없기는 하지. 왜 그 사실을 깨닫지 못했을꼬?"

"내 사부를 모욕하지 마라!"

송강우가 버럭 소리쳤다. 하지만 유 노대는 천연덕스러운 얼굴로 어깨를 으쓱거리며 말을 이었다.

"갈 늙은이가 광오하고 미쳤다는 건 내 세대 사람들이라면 다 아는 일인데, 사실을 사실대로 말한 걸 두고 모욕이라고 하면 안 되지."

그의 말이 끝나기가 무섭게 송강우가 앞으로 튀어나왔다.

"노옴!"

천둥 같은 일갈과 더불어 벼락처럼 휘두르는 칼!

우르릉!

번개처럼 번쩍이는 섬광의 칼날이 유 노대의 정수리를 단숨에 쪼개듯이 내리쳤다.

그때였다.

"어딜!"

화군악이 소리치며 눈에 보이지 않을 정도의 빠른 속도로 검을 뿌렸다.

챙!

요란한 소리와 함께 화군악의 검이 송강우의 칼이 옆면

을 때렸고, 가공할 기세로 유 노대를 덮쳐들던 칼은 방향을 잃고 옆으로 밀려났다.

송강우가 재차 칼을 고쳐 쥐는 순간, 화군악이 유 노대의 앞을 가로막으며 말했다.

"어딜 함부로 칼을 휘둘러? 아까도 말했지만 네놈 상대는 나라니까."

3. 한 번이면 된다

자신만만한 얼굴로 그렇게 말하는 화군악은 내심 잔뜩 긴장을 늦추지 않았다. 그의 검이 송강우의 칼을 때리는 순간, 그 칼에 실려 있던 감당할 수 없는 힘에 밀려 하마터면 검을 놓칠 뻔했던 것이다.

물론 검을 쥔 화군악의 손아귀가 찢어져 있는 것도 무관한 일이 아니기는 했지만, 어쨌든 송강우는 그렇게 자신만만하게 경고와 협박의 말을 내뱉을 정도의 실력을 지니고 있었다.

'생각보다 훨씬 강한 자다.'

화군악은 송강우를 재평가했다.

사실 화군악은 수 년 전, 태극천맹의 익양 지부주였던 진흠이라는 자와 손속을 겨루고 심지어 그를 죽인 적이 있었다.

그때보다 최소한 한 수 이상은 강해졌으니 악양 지부주 따위 일초지적(一招之敵)도 안 될 거라고 자신만만해했다.

하지만 화군악은 세월과 시간이 자신만의 것이 아니라는 사실을 잠시 잊고 있었다. 그가 발전하고 강해지는 동안 다른 자들도 발전하고 강해졌을 거였다.

무엇보다 익양 지부주 진흠은 이미 무인으로서 성장기와 완숙기를 훨씬 지난 지는 해였고, 이 악양 지부주 송강우는 한참 떠오르는 해였다. 단지 같은 지부주라고 해서 그 두 사람이 동격의 무위를 지녔을 거라고 판단한 것부터가 잘못된 일이었다.

화군악은 방금 전 나눴던 일합에 대해서 생각했다.

'내공은 나보다 강하다. 패도(霸刀)와 중도(重刀)의 수법을 사용하는 무공인 듯하고, 거기에 빠르기도 만만치 않다.'

만만치 않았다. 냉정하게 판단할수록 송강우라는 자의 무공이 강하다는 게 현실적으로 느껴졌다. 오대가문의 가주까지는 아니더라도 장로 정도의 수준이라고 생각하고 전력을 기울여야 했다.

'광오하고 미친 늙은이라는 패도천왕의 무위는 어느 정도였을까?'

문득 그런 의문이 화군악의 뇌리에 떠올랐지만, 그는 이내 고개를 휘휘 저으며 상념을 떨쳐 냈다. 지금은 오로지 눈앞의 상대, 송강우에게 집중해야만 했다.

"덤벼라, 오만하고 미친 늙은이의 제자야."

화군악은 도발하듯 그렇게 말했다.

그리고 송강우는 그의 도발에 응하기라도 하듯, 격렬하게 부르르 몸을 떨더니 맹수의 포효처럼 거친 고함을 내지르며 칼을 휘둘렀다.

"죽어라!"

새파란 칼날의 거치도가 머리 위에서 일직선으로 내리꽂혔다.

우우웅!

바람을 가르며 떨려 나오는 검명(劍鳴)이 뇌성(雷聲)처럼 들렸다. 밤하늘을 반쯤 가린 먹구름이 갈기갈기 찢어지는 것 같았다.

화군악은 피하지 않았다.

그는 그 강대무비한 파괴력이 실린 칼을 향해 검을 내질렀다. 그의 검은 교묘하게 움직이면서 거치도의 옆면을 타고 밀어냈다.

조금 전의 상황이 다시 한번 연출되었다. 챙! 하는 소리와 함께 송강우의 무지막지한 위력이 실린 칼은 방향을 잃고 허공에서 길을 헤매었다.

"미꾸라지 같은 놈!"

송강우는 분노하여 소리치며 다시 칼을 고쳐 쥐고는 연거푸 찌르고 베고 그었다. 사납고 날카로운 기세가 폭풍처럼 흉흉하게 밀어닥쳤다.

화군악은 여전히 두 발로 지면을 굳건히 버티고 선 채, 검을 휘둘러 송강우의 칼질을 막아 냈다.

그의 검에 가로막힌 송강우의 칼은 번번이 방향을 잃고 애꿎은 허공을 찌르거나 텅 빈 공간을 베었다. 그 바람에 송강우는 균형을 잃고 하마터면 앞으로 고꾸라질 뻔하기도 했다.

"좋은 수법이다!"

지켜보고 있던 유 노대가 감탄했다.

"힘으로 짓쳐들어오는 자를 굳이 힘으로 상대할 필요는 없지. 이화접목(移花接木)에 사량발천근(四兩發千斤)의 수법이라면 능히 항우(項羽)도 상대할 수 있을 것이다."

지금 송강우의 귀에는 유 노대의 찬사가 들려오지 않았다. 전력을 다해 칼을 휘두를 때마다 놈의 검은 미꾸라지처럼 파고들어 슬그머니 칼의 옆면을 후려쳤다. 그 바람에 그의 칼은 매번 애꿎은 허공만을 쑤시고 베고 후려치는 중이었다.

머리끝까지 화가 난 송강우는 콧김을 씩씩 내뿜으며 소

리쳤다.

"역시 네놈은 무당파 제자였더냐?"

화군악은 내심 전혀 긴장을 풀지 않은 채, 하지만 겉으로는 태연자약한 얼굴로 되물었다.

"네 사부가 광오하고 미쳤다더니, 네놈은 아예 바보로구나. 도가 계열의 무공을 보면 무조건 무당파 제자로만 보이더냐?"

"그럼 어느 문파의 제자이더냐? 썩 사문을 밝히지 못할까?"

송강우는 연신 칼을 휘두르고 찍고 베어가며 소리쳤다.

"네깟 놈은 내 사문을 알 자격이 안 되거든."

화군악은 계속해서 검을 휘둘러 거치도의 옆면을 후려치고 밀어내며 대꾸했다.

"이, 이 개자식이!"

송강우는 부들부들 떨며 욕설을 퍼부었다. 그러고는 미친 듯이 칼을 휘둘렀다. 화군악도 경시하지 못한 채 빠르게 검을 내질렀다.

쟁쟁쟁!

두 사람의 칼과 검이 사정없이 얽히면서 요란한 쇳소리를 토해 냈다. 칼과 검이 부딪칠 때마다 새파란 불꽃이 폭죽처럼 사방으로 날렸다.

순식간에 이십여 합의 공방이 교차했다.

송강우는 전혀 쉬지 않고 본신의 진력을 남김없이 쏟아 붓고 있었다.

그의 칼은 멈출 생각을 하지 않았다. 투로나 초식과는 전혀 상관없이, 베고 휘두르고 내리치고 찌르기를 쉴 새 없이 반복했다. 흉흉한 위세의 살기가 호곡성(號哭聲)을 토해 내며 화군악의 전신을 찢어발길 듯이 덮쳐 왔다.

화군악은 움츠리거나 피하지 않았다.

그는 전력을 다해 맹공을 퍼붓는 송강우와는 달리, 가장 적절한 힘과 최소한의 움직임만으로 송강우의 칼을 밀어내고 비껴가게 만들었다.

그건 태극무해(太極武解)의 또 다른 깨달음에서 비롯된 검법이었다.

태극무해의 묘용(妙用)은 오로지 공격에만 있는 게 아니었다. 검을 자유자재로 한 치의 막힘없이 면면부절(綿綿不絕) 끊임없 휘둘러 적을 공격하는 게 태극무해의 전부가 아니었다.

태극무해의 진정한 묘용은 그렇게 한 점 막힘없이 유장하고 자유자재로 휘두르는 검으로 적의 모든 공격을 막아 내는 것에 있었다.

생각해 보면 무당파의 시조(始祖)인 장삼봉은 이미 무공의 극의에 도달한 사람이었고, 당대 그 누구도 적수가 되지 않던 인물이었다. 동시에 이미 도(道)를 깨우쳐서 살아 있는 신선(神仙)이라는 소리를 듣던 인물이기도 했다.

그런 천하제일의 고수라면 쓸데없는 살생(殺生)보다는 사람을 구휼(救恤)하고 인명을 구제(救濟)하는 쪽에 더 신경을 쓰지 않았을까? 사람을 죽이는 살검(殺劍)이 아닌 사람을 살리는 활검(活劍)을 펼치지 않았을까?

태극무해를 연구하던 화군악은 문득 그러한 의문이 들었고 이후 그는 태극무해를 수비적인, 방어적인 관점에서 다시 공부하기 시작했다.

그리고 얼마 지나지 않아 화군악은 자신의 추측대로, 그 태극무해라는 검공(劍功)이 공격이 아닌 방어에 특화된 검공이라는 사실을 확실히 깨달을 수 있게 되었다.

그리고 그 깨달음은 지금 송강우의 무지막지한 파상공세를 별반 힘들이지 않고 파훼하고 있는 결과로 이어졌다.

눈 깜짝할 사이에 백여 합의 공방이 이뤄졌다. 전력을 다해 쉴 새 없이 공격을 퍼붓던 송강우의 어깨가 들썩이기 시작했다.

"헉, 헉……."

송강우가 한 번씩 칼질할 때마다 저도 모르게 내뱉는 숨이 가빠지고 있었다.

어깨를 들썩이고 받은 호흡을 내뱉게 되면 기력이 흩어

지고 기의 운용이 원활해지지 못한다.

원래 내공의 운용이란 톱니바퀴처럼 정확하게 맞아떨어져야 했다. 그게 흐트러지면 본연의 위력이 담긴 기공을 발출할 수 없게 된다. 심법을 사용한 무공도 제 위용을 발휘할 수 없어진다.

지치고 피로해진 상태에서 발출한 장력의 위력이나 검기의 날카로움이 평소보다 못한 건 당연했고, 정확성도 떨어지고 무뎌질 수밖에 없었다.

그뿐이 아니었다.

피로감은 초식의 운용에도 영향이 미치고 움직임도 둔화시킨다. 평소에는 능히 성공시킬 수 있는 빈틈이나 사각에 대한 공격도 실패하게 되고, 얼마든지 피할 수 있는 적의 공격에 빈번히 얻어맞게 된다.

고강한 내공을 지닌 고수들이 하루도 빼먹지 않고 육체를 단련하고 수련하는 이유가 바로 거기에 있었다.

쉽게 피로해지지 않기 위해서, 몇 백 합을 겨뤄도 지치지 않을 지구력을 갖추기 위해서 절정의 무위를 지닌 고수들 또한 일반 하급 무인들과 같이 육체의 단련을 등한시하지 않았다.

물론 송강우 또한 절대로 육체의 수련을 간과하지 않았다. 그는 새벽에 일어나자마자 마보(馬步)와 우보(牛步)와 웅보(熊步)로 다리를 단련하고, 다시 어린 시절에 익혔던

기초적인 권각술로 근육을 강화하고 지구력을 키웠다.

하지만 지금 송강우는 백여 합 이상 전력을 다해 칼을 휘두르는 중이었다. 전력을 다한 칼질과 그렇지 않은 칼질의 운동량은 열 배 이상 차이가 날 수밖에 없었고, 결국 송강우의 체력은 생각보다 훨씬 빠르게 소진되었다.

'진짜 미꾸라지 같은 놈이다. 이렇게나 전력을 다하는데도 한 번도 맞추지 못하다니!'

송강우는 이를 악물었다.

한 번이면 된다. 허리든, 어깨든, 다리든, 팔이든, 목이든 어쨌든 한 번만 맞추면 그것으로 끝난다.

거치도의 칼날은 호랑이의 송곳니보다도 흉포했고 잔악했다. 그 칼날에 스치기라도 하면 서걱, 하고 피부가 썰리는 소리와 함께 살점이 찢겨 나가고 근육이 갈라지며 뼈가 분쇄될 것이다. 반드시 그럴 것이다.

그러니 한 번, 딱 한 번이면 된다.

송강우는 마지막 기력을 모두 짜내어 두 손에 모은 다음, 다시 벼락처럼 거치도를 휘두르며 소리쳤다.

"죽어라!"

7장.
무명소졸(無名小卒)의 검

거기에다가 금해가의 손녀사위가 될 몸이기도 했다.
그런 장백두와 좋은 인연을 맺는 건 그들에게도,
그리고 그들의 사문과 제자들을 위해서라도 결코 나쁜 일이 아니었다.

1. 길(吉)보다 흉(凶)

번쩍!

마른하늘에 날벼락이 떨어졌다. 시커먼 밤하늘을 가르고 한 줄기 벼락이 화군악의 정수리를 향해 내리꽂혔다.

그런 느낌이었다, 지금 송강우의 벼락같은 칼질은.

화군악은 침착했다. 그는 제자리에서 미동도 하지 않은 채 검을 들어 벼락을 막았다.

일순 송강우의 눈빛이 번쩍였다.

'내 천뢰섬강(天雷閃罡)의 일격을 정면으로 막으려 들다니! 네놈의 검과 머리를 단숨에 박살 내 주마!'

그는 속으로 외치며 한껏 내공을 끌어올려 거치도에 주

입했다.

허공을 일직선으로 가른 거치도가 더욱더 빠르고 맹렬하게 화군악의 정수리에 내리꽂히는 순간, 화군악의 검이 거치도와 정면으로 맞부딪쳤다.

쩌엉!

한없이 묵직해서 주변 사람들의 심장까지 두드리는 듯한 쇳소리가 울렸다. 그 충격을 견디지 못하고 산산조각이 난 칼날이 낙화(洛花)처럼 사방으로 흩어지는 가운데, 송강우의 입에서 옅은 신음성이 새어 나왔다.

"으."

박살이 나기는커녕 외려 송강우의 칼을 산산이 조각을 낸 화군악의 검이 절묘하게 방향을 틀어 송강우의 옆구리를 찔렀던 것이다.

송강우가 비틀거리며 두어 걸음 물러서자, 화군악은 공격을 멈추고 검을 거둬들였다. 송강우의 칼이 박살 날 정도로 강력하게 부딪쳤음에도 불구하고 화군악의 검은 전혀 손상이 없었다.

"그, 그건 무슨 검이냐?"

송강우는 상처 부위를 지혈하며 물었다. 화군악은 피식 웃으며 대꾸했다.

"무명소졸(無名小卒)의 검일 뿐이다."

"거짓말 마라."

송강우를 이를 갈며 말했다.

"내 거치도를 박살 낼 정도의 검이 어찌 무명검(無名劍)일 수 있겠느냐?"

"쯧쯧."

화군악은 혀를 찼다.

"무식하기만 한 줄 알았더니 귀까지 먹었구나. 내가 언제 무명검이라고 했더냐? 무명소졸의 검이라고 했지."

화군악은 검을 검집에 넣으며 어깨를 으쓱거렸다.

"뭐, 무명소졸이 지닌 검이니 무명검이라고 해도 상관없으려나? 어쨌든 네 실력이 부족함을 탓해야지, 무기 탓을 하려고 하면 쓰나?"

송강우는 이를 악물었다.

무기 탓을 하려는 게 아니었다. 그의 거치도는 사부인 패도천왕의 애병이었다. 전설의 보도(寶刀)까지는 아니더라도 무쇠를 자르고 거암을 부수며 아름드리나무를 단숨에 베는 위력을 지닌 칼이었다.

패도천왕이 죽기 전까지 수십 년 동안 수백수천 번 싸웠지만, 송강우가 물려받아 십여 년 이상 칼질을 해 왔지만, 단 한 번도 날이 상하거나 깨진 적이 없던 칼이었다.

그런 칼이 수십 개의 조각으로 산산이 부서진 것이다. 그것도 송강우의 모든 진력이 고스란히 담겨 있던 칼이 박살 난 것이다.

그게 단지 실력 탓이라고 하기에는, 내공 차이라고 하기에는 확실히 억울한 면이 없지 않았다.

그때 담우천은 유심히 화군악의 검집을 지켜보고 있었다.

사실 지금 담우천의 무심해 보이는 얼굴과는 달리 그의 심장은 상당히 두근거리고 있었다. 화군악이 검을 휘두를 때마다 그의 검, 거궐이 희미하게 떨리며 검명까지 흘렸던 까닭이었다.

그건 명검은 명검을 알아본다는 차원을 떠나서, 마치 오래전에 헤어졌던 애인을 다시 만난 듯, 혹은 수십 년 떨어져 있던 가족이나 벗, 형제와 우연치 않게 조우한 듯한 떨림이었고 흐느낌이었다.

'절대 무명검이 아니다.'

담우천은 확신했다.

하지만 지금은 그 검이 무명검인지 아닌지 따지고 있을 때가 아니었다.

담우천은 재빨리 상념을 거둬들이고 한 걸음 앞으로 나서며 입을 열었다.

"이제 그만 항복……."

바로 그때였다.

"하하하하!"

우렁찬 웃음소리가 대문 밖에서 들려왔다.

일순 화군악과 장예추, 그리고 유 노대의 얼굴이 동시에 찌푸려졌다.

너무나 귀에 익은 웃음소리. 절로 짜증을 일으키게 하는 웃음소리. 그 웃음소리의 주인은 바로 악양부에 도착하자마자 헤어졌던 형문파 장문인의 아들, 장백두였다.

아니나 다를까.

낮의 사건으로 인해 무너져 내린 벽 사이로 수십 명에 달하는 한 무리의 사람들이 걸어 들어왔고, 그 선두에는 형문제일검 장백두가 있었다.

"미안하오! 사정이 있어서 이제야 왔소! 하지만 우리가 온 이상 모든 게 해결될 것이오!"

장백두는 유쾌하게 소리치며 교룡회의 연무장으로 걸어 들어왔다. 고개를 돌려, 장백두와 그 일행의 모습을 확인한 화군악과 장예추는 저도 모르게 속으로 중얼거렸다.

'저들까지 왔다니, 분장을 지우지 않은 게 천만다행이구나.'

그 무리에는 장백두만 있는 게 아니었다. 장백두의 뒤쪽으로 태극천맹 의창지부의 북성칠검 황룡과 그의 동료들이 있었고, 또한 금해가의 무사들로 보이는 이들이 있었다.

그 금해가 무사들로 보이는 이들의 면면을 확인하던 유 노대의 안색이 급변했다.

'이런.'

그는 황급히 손수건을 콧등까지 끌어올려 얼굴을 숨기려고 했다. 금해가 무사들 중 안면이 있고, 친분을 유지하던 자들이 섞여 있는 까닭이었다.

뒤돌아보던 담우천의 안색도 살짝 변했다.

'저 노인들은?'

그 역시 유 노대와 마찬가지로 낯이 익은 자들이었다.

정사대전 당시에는 듬직하기만 했던 아군(我軍)이었던 정파의 노기인들. 그리고 지금은 태극천맹의 원로가 되어, 태극천맹을 대신하여 각 지역의 분쟁을 해결하거나 경조사에 참석하여 자리를 빛내는 역할을 맡은 노기인들이 저 무리 중에 속해 있었던 것이다.

'이곳으로 접근하는 기척 중에서 함부로 좌시할 수 없던 고강한 기척들이 바로 저 노인네들이었구나.'

담우천은 그렇게 생각하며 노인들의 면면을 훑었다.

'구천자(九天子)와 운룡신창(雲龍神槍)이라……. 으음, 거기에 홍염철검(紅髥鐵劍)까지?'

그렇게 노인들의 얼굴을 살피며 별호를 확인하던 담우천의 눈썹이 살짝 흔들렸다.

저 노괴물이 아직도 살아 있었던가.

아무래도 오늘은 길(吉)보다 흉(凶)이 많을 것 같다는 불길한 예감이 그의 뇌리를 스치고 지나갔다.

* * *

손잡이 부분에 구름에 쌓인 용 한 마리가 웅장하게 새겨진 장창(長槍)을 들고 있는 노인의 별호는 운룡신창으로, 삭동 악가와 더불어 창의 명가(名家)로 알려진 신창 양가(神槍楊家)의 전대 가주였다.

지난날 정사대전 당시 한 자루의 장창으로 수많은 거마 효웅의 목숨을 빼앗아서 조자룡의 재림이라는 소리까지 듣던 영웅이었다.

백의 도복에 면류관을 쓴, 새하얀 눈썹에 백발, 백염의 노인은 구천자라는 도인이었다.

이제는 전설이 되어 버린 전진파(全眞派) 방계 문파 중 하나인 도호교(道護敎)의 전대 장로로, 전진파 특유의 도술(道術)에 가까운 무공을 사용하는 것으로 널리 알려져 있는 인물이었다.

홍염철검(紅髥鐵劍)은 말 그대로 철검을 무기로 사용하는 노기인으로, 다혈질에 광포한 성격의 소유자였다. 특히 분노를 일으킬 때면 새하얗던 수염이 붉은빛을 띤다고 해서 홍염(紅髥)이라는 별명이 붙었다.

그 명성 자자한 노기인들이 이곳 교룡회 연무장에 모습을 드러낸 건 실로 우연에 가까운 일이었다.

원래 그들은 금해가의 금지옥엽인 초운혜와 형문파 장문인의 장남인 장백두의 혼약식에 참석하기 위해 악양부를 방문했던 참이었다.

원래 장백두가 이번에 형문산을 내려와 악양부에 온 건 금해가의 가주 초일방을 만나 그의 손녀인 초운혜와 혼인을 허락받기 위해서였다.

하지만 그건 어디까지나 형식에 지나지 않았다. 이미 형문파와 금해가 사이에는 서로의 혼담에 대한 이야기가 끝난 상황이었고, 예법에 따라 장백두가 와서 허락을 구하고 초일방이 허락하는 모습을 연출하고자 한 것이다.

초일방의 허락이 떨어지면 곧장 형문파 장문인인 추담검객 장자일이 제자들을 이끌고 금해가를 찾아올 것이고, 그 자리에서 약혼식을 올려 무림 전역에 전통의 금해가와 욱일승천하는 형문파가 사돈지간이 된다는 걸 공표할 작정이었다.

그 자리에는 당연히 공증을 설 인물이 필요했다. 배분이 높고 무림인들의 존경을 받는 백도 정파의 노기인이 공증인이 되는 게 체면이 서는 일, 사실 이왕이면 태극천맹주가 직접 오는 게 좋기는 하지만 혼인식도 아닌 자리에 맹주를 오라 가라 하는 건 예의가 아니었다.

그런 연유로 금해가는 미리 태극천맹에 연락을 취해 배분 높은 공증인을 부탁했다.

태극천맹에서는 백팔원로회(百八元老會)의 수뇌부 중
에서 금해가와 친분이 있던 몇몇 노기인들을 골라 악양
부로 보냈고, 그중 세 명의 노기인이 지금 담우천의 앞에
모습을 드러낸 것이었다.

2. 금해가에서 있었던 일

"태극천맹 악양 송 지부주께서 직접 찾아와 가주를 뵙
고자 청해 왔습니다."

총관의 보고에 초일방은 눈을 동그랗게 뜨며 되물었
다.

"송 지부주가 나를?"

"네. 급한 일이라면서 결례를 용서해 달라는 말씀도 함
께 전해 달라 했습니다."

"호오."

초일방이 턱수염을 쓰다듬었다.

태극천맹의 악양 지부주라는 자리는 악양 일대의 모든
맹원들을 관리하고 그들에게 지시를 내릴 수 있는 막강
한 권한을 지니고 있었다.

하지만 오대가문의 가주라면 상황이 전혀 달라진다.

비록 직속상관은 아니더라도, 금해가 가주와 일개 지부

주 간에는 감히 얼굴을 마주 들고 쳐다볼 수 없을 정도의 격차가 있었다.

아무런 사전 연락도 없이 이렇게 함부로 찾아와 면담을 신청하는 건 확실히 격식이나 예법에 맞지 않는 무례한 행동이었다.

더더군다나 지금 초일방은 자신의 손녀와 형문파 장백두, 그리고 태극천맹의 본산에서 방문한 노기인들과 함께 저녁 만찬을 즐기고 있던 참이었다.

노기인들은 구천자, 운룡신창, 홍염철검 등을 비롯하여 한 명의 늙은 여승(女僧)과 죽은 자의 그것처럼 피부가 창백한 노인까지 모두 다섯 명이었다.

"흠, 결례인 줄 알면서도 찾아온 걸 보니 급한 일인 게 확실한 모양입니다."

태극천맹의 원로들이 모인 집단인 백팔원로회에서도 태극호법(太極護法)이라는 중책을 맡은 구천자가 입을 열었다. 그러자 운룡신창이 고개를 갸웃거리며 혼잣말로 중얼거렸다.

"송종군(宋宗君)이 아직도 악양 지부주로 있나 보군."

그러자 초일방이 웃으며 고개를 저었다.

"아니오. 그 송 지부주는 사오 년 전에 있었던 그 사건의 책임을 지고 물러나 난주(蘭州)로 보직을 옮겼소."

"아, 그때 그 사건 말이지요?"

운룡신창이 눈살을 찌푸렸다. 구천자의 표정도 딱딱해
졌다.

당연한 일이었다. 악양의 전대 지부주였던 송종군이 책
임을 지고 저 변방 난주로 축출당한 사건 전후에는 운룡
신창과 구천자도 포함되어 있었으니까.

당시 운룡신창 양희관은 지저갱의 신임 옥주였는데, 자
신이 옥주로 부임하자마자 희대의 탈출 사건이 터지는
바람에 불같이 화를 내며 탈출한 자들을 쫓았다.

또한 구천자는 광천노군과 함께 전무후무한 지저갱 탈
옥 사건을 조사하기 위해 악양부로 급파되었다. 그들 세
명의 노기인들은 사건의 주범으로 알려진 화군악이라는
자의 뒤를 쫓았으나 의외로 화군악은 강했다.

화군악은 자신의 뒤를 쫓던 익양 지부주였던 진흠과 그
의 아들 진홍래를 살해한 데다가 심지어 태극호법 중의
한 명인 광천노군까지 해치운 뒤 흔적도 남기지 않고 자
취를 감췄다.

구천자와 운룡신창은 동료를 잃은 복수심에 불타, 지
옥 끝까지 화군악이라는 자를 뒤쫓고자 했다. 실제로 그
들은 일 년 가까이 강호를 떠돌아다니면서 화군악이라는
애송이의 행적을 수소문하기도 했었다.

하지만 불과 일 년도 지나지 않아서 태극천맹의 맹주
정문하는 그들을 맹으로 불러들였고, 두 사람은 어쩔 수

없이 훗날을 기약하며 맹으로 돌아가야 했다.

당시 맹으로 돌아온 운룡신창은 이해가 가지 않는다는 얼굴로 구천자와 대화를 나눴다.

"급한 용무도 없거늘 왜 맹주께서 우리를 불러들인 게지?"

"글쎄. 뭔가 의중이 있으시겠지. 설마 아무런 일도 없는데 굳이 우리를 불러들이지는 않았을 게야."

이상한 일이기는 했다.

백팔원로회가 태극천맹을 대표하는 의결 기관 중의 하나이기는 했지만, 그렇다고 해서 백팔 명의 원로들이 모든 회의 때마다 참석하는 건 아니었다.

원로들은 맹 내에 남아 있는 원로의 수가 총인원의 삼분지 이에 해당하는 한, 개인 사정이나 문파의 상황에 따라 얼마든지 맹을 떠나 여행을 하거나 사문으로 돌아갈 수 있었다.

그러나 구천자와 운룡신창이 맹으로 돌아왔을 때, 원로회에는 약 구십여 명의 원로들이 남아 있었다. 게다가 중대사를 의논하고 결정해야 하는 회의도 없었다. 그러니 굳이 의결권을 행사하러 맹으로 돌아올 필요가 없었다.

그러니 구천자와 운룡신창이 화군악이라는 악적(惡賊)의 뒤를 쫓고 있을 때, 굳이 정문하가 그들을 불러들일 이유가 없었던 것이다.

하지만 두 사람의 의문은 그리 오래가지 않았다. 정문하는 그들에게 다른 곳에 신경을 쓸 수 없을 정도의 많은 일을 부탁했고, 그 쉴 새 없이 내려오는 일을 처리하느라 지저갱의 옥주 자리에서 물러나 태극호법이 된 운룡신창은 벗이자 동료인 구천자와 함께 북경부와 낙양, 항주 등 대륙 전역을 떠돌아다녀야 했다.

그렇게 삼사 년의 세월이 흐른 뒤, 두 사람은 다시 금해가의 초청을 받아 이곳 악양부를 방문할 수 있었다.

그리고 송종군이라는 전대 악양 지부주를 언급하면서, 동시에 그동안 잊고 있었던 불쾌한 기억까지 새삼스레 떠올랐던 것이다.

"흠, 그럼 지금 송 지부주는 누구입니까?"

구천자의 질문에 초일방이 미소를 지으며 대답했다.

"송강우라는 인물이요."

"송강우?"

구천자를 비롯한 노기인들이 처음 들어 보는 이름이라는 듯이 고개를 갸웃거리자 초일방이 덧붙여 말했다.

"패도천왕의 제자라오."

"아, 그 꼬마?"

홍염철검이 제일 먼저 제 무릎을 치며 알은척을 했다. 그러자 구천자와 운룡신창도 이내 고개를 끄덕이며 입을 열었다.

무명소졸(無名小卒)의 검 〈205〉

"허어, 체구도 조그마한 아이가 호랑이 같은 눈으로 우리를 쏘아보듯 쳐다보던 게 아직도 눈에 선한데……."

"벌써 악양 지부주가 되었단 말입니까? 허어, 가만있자. 그리고 보니 그 아이를 본 게 삼십여 년 전의 일이니까, 이미 마흔 살은 넘었겠구려."

"응? 그 꼬마가 벌써 마흔 살이 넘었단 말이오? 허허, 이 것 참 정말 세월 빠르오. 어떻게 자랐는지 한번 얼굴을 보고 싶군그래."

홍염철검은 불보다 더 뜨겁고 급한 성격을 지녔다는 소문과는 달리, 사람 좋은 너털웃음을 흘리며 그렇게 말했다.

송강우의 어린 시절을 기억하는 다른 기인들도 그가 어떻게 성장했는지 보고 싶어 했다.

결국 초일방은 총관에게 일러 송강우를 안으로 들여보내라고 지시했다.

얼마 지나지 않아 송강우가 모습을 드러냈다. 코흘리개 어린 시절과는 달리 훌쩍 큰 키에 건장하고 당당한 체구의 중년 사내였다.

노기인들은 그 몰라보게 달라진 송강우의 모습에서 세월의 무상함을 느끼며 한숨을 쉬거나 얕은 탄식을 내뱉었다.

하지만 수십 년 세월이 흘렀음에도 불구하고 달라지지

않는 게 있었다.

　송강우는 여전히 호랑이의 그것처럼 부리부리한 두 눈으로 초일방과 노기인들을 둘러보며 허리를 숙였다.

　"악양 지부의 송강우가 여러 고인들께 인사드립니다."

　그러자 홍염철검이 불쑥 물었다.

　"혹시 나를 알아보겠느냐?"

　송강우는 무뚝뚝하게 대꾸했다.

　"홍염철검 마(馬) 숙부가 아니십니까?"

　"숙부라니? 내가 네 사부보다 웃어른이니 당연히 백부라고 해야지!"

　홍염철검이 웃는 낯으로 꾸중하자 송강우는 지지 않고 대답했다.

　"선사(先師)께서는 살아생전 늘 말씀하시기를, 당신보다 웃사람은 무림시왕 말고는 없으니 나머지는 모두 당신의 아우뻘이라고 생각해라, 하셨습니다."

　"허어, 정말 오만한 영감탱이라니까."

　홍염철검이 도저히 당해 낼 수 없다는 듯 고개를 설레설레 흔들었다.

　송강우는 홍염철검 주변으로 앉아 있는 노인들을 무심코 둘러보다가 하마터면 "헉!" 하고 소리를 낼 뻔했다.

　'아니, 도대체 무슨 일이 있기에 저 어르신들이 이곳에 온 거지?'

저도 모르게 가슴이 두근거렸다.

홍염철검이야 어린 시절 몇 차례 만난 적이 있었으니 놀랄 것도 대단하게 느껴질 것도 없었다. 구천자와 운룡신창은 확실히 거물이기는 했지만, 송강우의 가슴을 두근거리게 만들 대상은 아니었다.

그가 저도 모르게 힐끗거리며 쳐다본 두 사람, 그러니까 한 명의 늙은 여승과 시체처럼 창백한 안색의 노인이야말로 지금 송강우의 심장을 두근거리게 만드는 인물들이었다.

늙은 여승, 멸절사태(滅絶師太)는 아미파(峨嵋派)의 전대 장로였다. 그녀는 아미파가 여승들의 문파라고 세상 사람들이 착각하게 만든 장본인 중의 한 명이었다.

원래 아미파는 소림사 등 다른 불문(佛門)과는 달리, 남승(男僧)과 여승이 함께 불법을 닦고 무공을 수련하는 문파였다.

그런데 몇 대(代)를 이어 가며 유독 무공이 뛰어난 여승들을 배출하였고, 그런 여고승(女高僧)들이 강호에서 맹활약을 하는 바람에 세상 사람들은 아미파 하면 여승들부터 떠올리게 되었다.

멸절사태 또한 그런 절정의 여고승 중의 한 명으로, 정사대전 당시에는 사마외도의 주적(主敵) 대상이 되기도 했다.

한편 사마외도에 공적십이마라는 걸출한 초절정의 고수가 있듯이 정파무림에도 열 명의 초절정 고수가 있었다.

세상 사람들은 따로 그들 열 명을 가리켜 군림십왕(君臨十王)이라고 불렀는데, 송강우의 스승인 패도천왕이나 지금 그의 눈앞에 있는 무정검왕(無情劍王)이 바로 그 군림십왕에 속하는 인물들이었다.

'선사께서 단 한 번만이라도 이겨 보고 싶다고 주문처럼 외우던 상대……'

송강우는 무정검왕을 힐끗거리며 생각하다가 이내 고개를 흔들며 상념을 떨쳐 냈다. 그리고 그는 명성 자자한 노기인들과 잠시 한담(閑談)을 나눌 법도 했지만, 곧바로 초일방을 향해 사무적으로 말했다.

"부탁이 있어서 찾아왔습니다."

초일방의 눈이 커졌다.

"부탁?"

송강우는 간략하게 교룡회 사건에 대해서 설명했다. 그리고 한바탕 소동을 일으킨 그 다섯 명의 무위가 심상치 않으며, 또한 태극천맹의 위엄을 손상시킨 중죄가 있는 만큼 금해가의 무사들을 동원할 수 있도록 도와 달라고 말했다.

하지만 초일방은 별다른 반응을 보이지 않았다.

태극천맹의 위엄이 어쩌니 저쩌니 해도 결국에는 금룡회라는 하오문에서 난동을 부린 자들인 게다.

초일방의 입장에서 보자면 그들을 상대로 금해가가 전면에 나서는 건 그야말로 쥐 잡는 데 소 잡는 칼을 사용하는 격이었다. 당연히 탐탁할 리가 없었다.

다섯 노기인들 역시 마찬가지였다.

그들에게는 금룡회라는 조직조차 생소했다. 초일방에게 물어보고 나서야 "아, 그러니까 결국 하오문이라는 것이구려." 하고 흥미를 잃는 듯한 표정을 지었다.

그들의 표정을 확인한 송강우는 낙담했다. 교룡회라는 하오문 집단에 매몰되어 적의 무위가 얼마나 고강한지, 어떻게 태극천맹의 위엄을 손상시켰는지에 관심을 두지 않는 저들이 야속하기만 했다.

하지만 그때, 초일방과 다섯 노기인들 사이에서 가만히 이야기를 듣고 있던 장백두가 문득 눈빛을 빛내며 입을 열었다.

"그 노인, 혹시 키가 작고 허리가 굽지 않았습니까? 겉으로 보면 그저 사람 좋아 보이는 평범한 촌로(村老)의 모습을 하고 있고요."

느닷없이 장백두가 끼어들자 송강우는 가볍게 눈살을 찌푸렸다.

'네 녀석이 낄 자리가 아니다.'

송강우로서는 가뜩이나 기분이 좋지 않은 상황에서 겨우 약관을 벗어난 이십 대 청년이 함부로 끼어드는 모습이 못마땅한 게 당연했다.

그러나 명성 자자한 이 노기인들과 함께 저녁 만찬을 즐기고 있을 정도의 신분이라면 절대 평범하지 않은 인물이겠다고 생각한 듯 송강우는 담담하게 말했다.

"확실히 그렇소."

"그리고 나머지 삼남일녀 중 원숭이를 닮은 중년 사내도 있었습니까?"

"원숭이?"

송강우는 고개를 갸웃거렸다.

3. 활약할 수 있는 자리

송강우는 잠시 기억을 더듬다가 다시 입을 열었다.

"다들 손수건으로 입매를 가려서 확실하지는 않지만, 굳이 원숭이라고 생각하니 진짜 원숭이를 닮은 것 같기도 한 중년인이 있었소이다. 혹시 아는 분이시오?"

"아, 그들이 분명합니다."

장백두가 확신에 찬 얼굴로 고개를 끄덕이며 말했다.

송강우는 물론 초일방과 노기인들도 호기심에 찬 눈빛으

로 그를 바라보았다.

장백두는 이곳 악양으로 오는 객선에서 있었던 일들에 대해서 간략하게 이야기했다.

가늠할 수 없는 무위를 지닌 두 명의 중년 사내와 한 명의 노인, 분명 일류급 이상의 무공을 지닌 무인들임에도 불구하고 끝까지 시골 촌부, 촌로라고 우기던 그 이상한 자들에 대해서 설명했다.

잠자코 듣고 있던 송강우가 고개를 끄덕이며 입을 열었다.

"사남일녀 중 두 명의 중년 사내와 한 명의 노인은 확실히 그들인 것 같소."

장백두가 한숨을 쉬며 말을 받았다.

"이런 일이 벌어질 줄 알았다면 멱살을 잡고서라도 이곳으로 끌고 왔어야 하는데, 미처 제 대처가 미비했던 것 같습니다."

"그게 어디 자네 탓이겠는가?"

초일방이 웃으며 말했다.

"처음부터 신분을 감추고 정체를 속인 자들이 나쁜 놈들이네. 자책할 것 없네."

"아! 그러고 보니 생각났습니다."

장백두가 조금은 호들갑스럽게 말했다.

"뭔가?"

초일방이 물었다.

"그 두 중년 사내들의 얼굴이 어딘지 모르게 이상하게 느껴졌거든요. 처음에는 그저 우스꽝스러운 얼굴이다 싶었는데 지금 돌이켜 생각해 보니, 마치 변장이나 분장을 한 듯한 얼굴이었습니다."

장백두는 힘주어 말했다.

"그리고 가끔씩 중년 사내라고는 생각하지 못할 정도의 젊은 말투를 사용하기도 했고요. 그렇지 않소?"

장백두는 가만히 앞자리에 앉아 있던 초운혜를 바라보며 동의를 구했다. 초운혜는 잠시 생각하다가 고개를 끄덕이며 말했다.

"확실히 수상한 점이 많았어요. 특히 그 얼굴과 눈빛이 마치 다른 사람처럼 느껴질 정도로 이질적이라는 게 기억에 남네요."

"으음, 그렇다면 아무래도 역용술(易容術)을 펼친 모양이로군."

구천자가 말했다. 그러자 운룡신창이 고개를 갸웃거리며 그의 말을 받았다.

"흠, 역용술까지 펼쳐서 제 정체를 숨길 정도의 사람들이라면…… 확실히 평범한 신분은 아닐 것 같군."

"호오, 재밌겠군그래."

홍염철검이 흥미롭다는 얼굴로 말했다.

"좋아. 나도 도와주지. 자네와 나는 숙질(叔姪) 같은 사이니까 조카의 도움을 외면하면 안 되겠지."

홍염철검은 송강우를 바라보면서 웃었다. 송강우는 허리를 굽혀 말했다.

"감사합니다. 마 숙부께서 도와주신다면 천군만마를 얻은 것과 다름없는 일입니다."

"저도 가겠습니다."

장백두가 호기롭게 말했다.

"그들의 수상함을 알고 있었음에도 불구하고 확실하게 마무리를 짓지 못한 책임이 있는 이상, 저도 송 지부주를 돕겠습니다."

송강우는 대답 대신 초일방을 돌아보았다.

조금 전 객선의 이야기를 통해서 이 젊은 청년이 형문파의 소공자이며 또한 금해가의 손녀사위가 될 사람임을 알게 된 이상, 송강우가 함부로 승낙하고 거절한 문제가 아니게 된 셈이었다.

초일방은 장백두의 그런 호기가 믿음직스러운 한편, 굳이 손녀사위가 될 사람이 직접 험한 곳까지 가겠다는 게 불안하다는 듯 애매한 표정을 지었다.

그러자 운룡신창과 구천자가 앞서거니 뒤서거니 하며 입을 열었다.

"장 소협이 저리 말하는데 보내 주시죠. 그의 안전은

이 몸이 책임지겠소이다."

"허허허. 젊은 청년의 기백이 상당하구려. 좋소. 나도 따라나서겠소이다."

운룡신창과 구천자 같은 노기인들이조차 가볍게 무시할 수 없을 정도로 형문파는 뜨겁게 타오르는 신흥 세력이었다.

거기에다가 금해가의 손녀사위가 될 몸이기도 했다. 그런 장백두와 좋은 인연을 맺는 건 그들에게도, 그리고 그들의 사문과 제자들을 위해서라도 결코 나쁜 일이 아니었다.

구천자는 그런 속내를 감춘 채 멸절사태와 무정검왕을 돌아보며 동행하기를 권유했다.

"어떻소? 식사도 마친 것 같으니 슬슬 바람도 쐴 겸 함께 가심이?"

구천자의 은근한 권유에 멸절사태는 냉랭하게 고개를 저으며 말했다.

"천하의 세 분께서 움직이시는데 굳이 빈승(貧僧)이 낄 것까지는 없을 것 같습니다."

무정검왕도 무심한 어조로 말했다.

"나는 아직 술을 마실 생각이오."

구천자의 얼굴이 살짝 일그러졌다. 자신의 권유가 거절당한 게 아무래도 체면이 상하는 일이라고 생각한 모양이었다.

그러자 초일방이 활짝 웃으며 말했다.

"허허허. 세 분 노영웅께서 이렇게 솔선수범 나서 주신다고 하니 정말 감사하기 그지없소이다. 역시 그 정의와 대의를 추구하는 협객도(俠客道)에 진심으로 탄복하외다."

초일방이 그렇게까지 칭찬하자 구천자는 이내 얼굴을 풀고 웃으며 겸양했다.

"별말씀을요. 그저 본 맹의 위엄을 거스르는 자들에게 따끔한 훈계를 내리려는 것뿐입니다."

초일방은 크게 고개를 끄덕이며 말했다.

"하기야 교룡회가 중요한 건 아니지만 엄연히 본가가 있는 이곳 악양부에서, 그렇게 정체 모를 자들이 함부로 날뛰는 걸 가만 놔둘 수는 없는 노릇이기는 하오."

초일방은 장백두를 돌아보며 말을 이었다.

"그럼 본가의 정예들을 보내 줄 터이니 백두, 자네가 한번 그들을 지휘하여 마무리를 짓고 오게나."

여전히 무뚝뚝한 인상의 송강우였지만 초일방의 그 말에 살짝 움찔거렸다.

지금 초일방은 이번 사태를 해결하는 주인공으로 송강우가 아닌, 장백두로 지목한 것이었다.

비록 장백두가 하루가 다르게 기세를 떨치고 세력을 넓

히는 형문파의 소공자라고 하더라도, 역시 금해가에 비하자면 그 명성이나 위명이 떨어지는 게 사실이었다.

그래서 초일방은 장백두가 별다른 문제없이 이번 교룡회 사태를 해결하면 나름대로 위명을 높일 거로 생각했다.

'송 지부주가 쉽게 상대할 수 없을 정도의 고수들이라고는 말하지만 그래 봤자 송 지부주 수준일 게다. 그 정도라면 문제가 생기거나 탈이 날 리가 전혀 없을 테니까.'

게다가 태극천맹 백팔원로회 세 명의 원로가 동행한다고 했으니, 설령 놈들이 상상외의 고수들이라 할지라도 별반 문제가 될 리 없었다.

그게 초일방의 계산이었고, 또 언제나처럼 그의 계산대로 일은 진행될 게 분명했다.

'뭐, 상관없지.'

송강우는 속으로 중얼거렸다.

초일방이 그런 생각을 하든, 장백두의 위명이 높아지든 확실히 송강우와는 상관없는 일이었다. 그는 오로지 태극천맹의 위엄을 손상시키고, 태극천맹의 율법에 대항한 자들을 척결하면 되는 것이었다.

"그럼 저는 먼저 일어나겠습니다."

송강우가 고개를 숙이며 입을 열었다.

"천라지망 등 따로 준비해야 할 게 많으니까요. 만약

놈들이 나타난다면 바로 사람을 보내겠습니다. 그때 잘 부탁드립니다."

송강우는 초일방의 마음이 바뀔까 봐 저어한다는 듯이 빠르게 말했다.

초일방은 껄껄 웃으며 말했다.

"너무 요란하게는 준비하지 말게. 우리 손녀사위도 나설 수 있는 자리 정도는 만들어 두게나."

송강우는 슬쩍 장백두를 바라보고는 다시 고개를 숙이며 정중하게 대답했다.

"물론입니다. 그리하겠습니다."

* * *

그렇게 장백두가 멋들어지게 활약할 수 있는 자리가 만들어졌다.

교룡회 수백 명의 무사들이 다치고 죽었다. 상황을 중재하러 나선 악양 지부주 송강우도 그의 애병이 박살 난 채 피를 흘리고 있었다.

마침 그 위급한 상황에서 장백두가 모습을 드러낸 것이다.

장백두는 백팔원로회 세 명의 원로와 금해가의 정예 무사들을 이끌고, 마치 개선장군처럼 위풍당당하게 교룡회의 연무장으로 들어섰다.

송강우가 기획하고 만든 자리는 아니었지만 그야말로 초일방이 원하던 바로 그 자리, 장백두의 이름을 널리 알릴 수 있는 자리가 그렇게 만들어졌다.

화군악과 담우천은 서로 눈짓을 교환했다.

지금의 대치 상황은 매우 좋지 않았다. 전면에는 송강우와 교룡회의 무사들이 있었고, 후면에는 장백두를 비롯한 금해가 무사들이 있었다.

자칫 잘못하다가는 양쪽에서 협공을 당할 수도 있었다.

그런 생각을 눈짓으로 교환한 화군악과 담우천은 천천히 우측으로 몸을 움직여서 장백두 일행이 송강우들과 만날 수 있는 길을 터 주었다.

장백두는 화군악들에게 눈길 한 번 주지 않은 채 일직선으로 송강우에게로 걸어와 위로했다.

"크게 다치지는 않으셨소?"

송강우는 가볍게 눈살을 찌푸렸다.

지금 눈앞에 서 있는 장백두는 금해가에서 마주했던 장백두와는 전혀 다른 사람인 것처럼 행동하고 말하고 있었다.

'반말에 가까운 존대, 거기에 아랫사람을 대하는 듯한 행동. 이게 장백두라는 청년의 본모습인가?'

어쩌면 금해가의 장백두는 오로지 초일방의 눈치를 보느라, 그에게 잘 보이기 위해서 예의 바르고 의기 넘치는 청년처럼 행동했으리라.

물론 그렇다고 해서 지금의 장백두가 예의가 없고 오만 불손하다는 건 아니었다. 단지 악양 지부주인 송강우를 동급 혹은 아랫사람처럼 대한다는 게 문제였을 뿐이다.

아니, 어쩌면 일부러 모든 사람들의 시선을 자신에게로 쏠리게 하기 위해 과장된 행동과 말투를 사용하는 것인지도 몰랐다.

'전자의 경우라면 그저 오만하고 철없는 애송이에 불과하지만, 후자라면 나름대로 눈여겨볼 상대인 것 같구나.'

장백두는 송강우가 그런 생각을 한다는 걸 눈치채지 못한 채, 그가 눈살을 찌푸리는 걸 단지 부상 때문이라고 착각하고서는 크게 탄식하며 말했다.

"미안하오. 내가 조금 늦는 바람에 이런 중상을 입으셨구려. 내 반드시 송 지부주의 복수를 하겠소!"

아무래도 후자의 경우인 모양이었다.

연무장뿐만 아니라 교룡회 외곽 지역에 포진해 있는 모든 사람들의 귀에까지 들리도록 일부러 고함을 치듯 큰 소리로 말하는 걸 보면 확실히 후자의 경우일 가능성이 높았다.

'모든 이들의 이목을 자신에게로 집중하게 만든 다음,

더욱 화려한 결과를 만들어 내려는 게구나.'

송강우는 장백두를 가만히 지켜보며 내심 중얼거렸다.

'그저 겸손하고 예의 바르기만 할 줄 알았더니 알고 보니 야망이 철철 넘치는 친구로군.'

뭐 나쁘지 않았다.

야망은 누구나 가질 수 있었다. 젊을수록, 그리고 스스로의 능력과 자신의 배경에 자신이 있을수록 더 큰 야망을 갖기 마련이었다.

그리고 장백두는 능히 그렇게 거대한 야망을 지닐 만한 인물이었다.

'나와는 상관없는 일이다.'

송강우는 그렇게 결론을 내렸다.

장백두가 태극천맹의 맹주 자리를 노리든 천하제일인의 권좌를 탐내든 송강우와는 아무런 상관이 없었다. 송강우는 그저 자신이 맡은 마 책무를 다하기만 하면 되었다.

그리고 지금 그의 책무는 태극천맹을 멸시하고 그 위엄을 손상시킨 채 이렇게 수많은 교룡회 무사들을 죽이거나 다치게 한 저 다섯 명을 처리하는 일이었다.

그 책무를 완수하는 데 있어서 도움이 된다면, 장백두가 그 무슨 야망을 꿈꾸고 있다 한들, 송강우에게는 아무런 상관이 없었다.

장백두는 송강우의 생각에 부응하듯 화군악 일행을 돌아보며 소리쳤다.

"썩 무기를 버리고 항복하지 못할까!"

8장.
난전(亂戰)의 시작

화군악은 허공 높이 솟구친 기세를 이용하여
곧바로 연무장 밖으로 몸을 날리며 크게 웃었다.
"하하하! 분하다면 조금 더 엄마 젖을 먹고 찾아오렴!"

1. 공방전(攻防戰)

장백두는 화군악 일행을 돌아보며 소리쳤다.

"썩 무기를 버리고 항복하지 못할까!"

밤하늘 멀리까지 쩌렁쩌렁하게 울려 퍼지는 목소리. 그 야말로 젊은 영웅의 호기로운 외침이었다.

화군악은 저도 모르게 피식 웃었다.

'여기서도 영웅 놀이를 하는구나.'

화군악은 지금 장백두의 저 모습을 이미 본 적이 있었 다. 며칠 전 이곳으로 오는 객선에서 수적과 마주했을 때, 그때도 장백두는 지금처럼 호탕하고 호기 넘치는 언 행을 보여 주었다.

'그렇게도 영웅이 되고 싶은 건가?'

화군악은 고개를 설레설레 흔들었다.

그런 화군악의 행동이 눈에 띈 것일까. 장백두의 시선이 문득 화군악에게로 향했다.

장백두는 가늘게 눈을 뜬 채 손수건으로 얼굴의 절반을 가린 화군악을 가만히 바라보다가 문득 고개를 끄덕이며 입을 열었다.

"역시 손행자 손 소협이셨구려."

그렇게 말한 장백두는 화군악의 대답을 기다리지 않고 다른 이들을 둘러보며 말을 이어 나갔다.

"그렇다면 노인장은 유 노대일 것이고, 거기 구레나룻이 언뜻 보이는 자는 규염객 모 형이겠구려. 나머지 두 분은 내 견식이 짧아서 미처 알아보지 못하겠소. 양해해 주시구려."

장백두의 오만한 말투에 나찰염요가 가볍게 눈살을 찌푸렸다. 장백두는 여전히 자신만만한 표정을 지은 채 화군악에게로 시선을 돌리며 물었다.

"그런데 시골 촌부라고 하던 귀하들이 어찌 이곳 금룡회에서 소란을 피우는 것이오? 또한 어찌 감히 태극천맹의 행사에 반항하고 그들의 지시에 불복하는 것이오? 설마하니 귀하들이 변장하여 스스로의 신분을 속이고 감춘 이유가 바로 거기에 있었던 것이오?"

"나도 말 좀 하자."

화군악이 겨우 입을 열었다. 장백두가 웃으며 고개를 끄덕였다.

"얼마든지 변명할 기회를 드리겠소."

"변명은 무슨."

화군악은 코웃음을 치며 말했다.

"뭐, 어쨌든 질문을 받았으니 대답은 해야겠지. 우선 이곳 금룡회에서 소란을 피운 건, 오룡두의 죽음에 대한 진실을 파헤치기 위함이었다. 여기 계신 유 노대는 과거 오룡두와 친분이 있는 분으로, 오룡두의 억울한 죽음을 풀기 위해서 죽음을 무릅쓰고 교룡회와 싸우는 중이시다. 이것이야말로 정의와 대의를 위해 목숨을 거는 무림인의 표본이라고 할 수 있지 않느냐?"

장백두의 눈빛이 살짝 흔들렸다.

무림인에게 있어서 복수는 정당한 권리라 할 수 있었다. 더더군다나 동료나 지인의 억울함을 풀어 주는 복수는 협객의 근본이라 하여 뭇 사람들의 칭송까지 받는 행동이었다.

화군악이 그런 면을 먼저 선점하고 부각시킨 까닭에 외려 장백두가 악인의 편에 서게 되는 꼴이 되었다.

"그리고 태극천맹의 행사를 방해하고 지시에 불복했다 했느냐? 애당초 일이라는 건 선후(先後)가 있는 법이다.

만약 태극천맹이 우리의 복수를 정당하게 생각해서 오룡두의 억울한 죽음에 대해 조사하려 했다면 왜 우리가 그들의 행사를 방해하고 지시에 불복했겠느냐?"

화군악은 큰소리로 따지듯 말했다.

"설마하니 태극천맹은 무림인의 은원에 대한 정당한 복수까지 제 입맛에 따라 규제할 생각이더냐? 설마하니 금룡회에서 뒷돈을 받거나 따로 이득을 챙긴 까닭에 그들의 편을 들어 주는 건 아니겠지?"

"무엄하다!"

피를 닦고 있던 송강우가 버럭 소리를 내질렀다.

"어디서 감히……."

"송 지부주는 가만히 계시오!"

장백두가 그의 말을 중간에서 잘랐다.

일순 송강우의 눈이 화등잔만 해졌다. 어처구니가 없다 못해 기가 막힐 일이었다. 아무리 초일방의 전언(前言)이 있다 하더라도 어디까지나 송강우는 이곳 악양부의 책임을 맡고 있는 지부주였다.

그런 송강우에게 입을 다물고 있으라는 것이다. 송강우가 당장이라도 폭발하지 않은 게 용할 지경이었다.

장백두는 송강우를 거들떠보지도 않고 오로지 화군악을 바라보며 천천히 입을 열었다.

"뒤늦게 이곳에 온 까닭에 자세한 상황은 잘 모르는 바이오. 하지만 오룡두가 억울한 죽음을 당했다는 게 사실이오?"

"거짓말이에요!"

구미호 구염이 발작적으로 소리쳤다.

"이곳에 있는 금룡회 사람들이 증인이에요! 사부들은 지병과 노환 등에 의해 돌아가셨지, 누군가의 독살이나 암살에 의해 목숨을 잃은 게 아니라고요!"

"이상하네."

화군악이 고개를 갸웃거리며 말했다.

"나는 그저 억울한 죽음이라고만 했을 뿐이지, 그렇게 콕 집어서 독살이니 암살이니 하고 말한 적이 없는데."

구미호 구염의 얼굴이 붉어졌고 당황한 듯 말문이 막혔다. 그녀의 눈동자가 이리저리 굴렀다. 하지만 그것도 잠시, 그녀는 더 큰 목소리로 소리쳤다.

"소용없다! 네놈이 아무리 억지를 쓰고 우리를 모함하려 들어도, 사부들께서 지병과 노환으로 돌아가셨다는 건 하늘이 알고 땅이 아는 사실이다! 또한 네놈들이 우리 금룡회 무사들을 몰살시키려 한 것 역시 천지신명이 다 알고 계신다!"

"이봐, 말은 똑바로 해야지. 우리가 몰살시키려 들었다면 진작 다 죽였을 거야. 괜히 점혈하거나 팔다리만을 부러뜨리는 노력은 하지 않고 말이지."

화군악은 유들유들하게 말하는 가운데 귀를 쫑긋거렸
다. 그의 귓전으로 모깃소리처럼 가느다란 전음이 흘러
들어오고 있는 까닭이었다.

　-계속해서 저들의 이목을 분산시켜 주게. 내가 최선의
도주 경로를 생각할 때까지.

　담우천의 전음이었다.

　"하지만 우리는 손속에 정을 두어서 그대들의 목숨을
취하지 않았지. 진짜 고마워해야 할 사람은 그대들이라
니까."

　화군악이 계속해서 말을 이어 나가는 와중에도 담우천
의 전음은 쉬지 않고 들려왔다.

　-구천자와 운룡신창, 홍염철검의 노기인들이 나설 자
리를 만들어 주면 안 되네. 그들이 나서면 훨씬 더 일이
복잡해질 테니까. 그러니 자네는 구미호라는 계집과 저
청년에게 계속해서 말을 걸도록 하게.

　담우천은 무심한 표정을 지은 채 입술을 달싹거렸다.

　겉으로 보기에는 그저 정면을 주시하고 있는 것 같았지
만, 담우천의 눈과 귀는 바쁘게 주변 상황을 파악하는 중
이었다.

　저들의 병력 배치가 어떻게 되어 있는지, 어느 누가 방
심하고 있는지, 주의를 게을리하는지에 대해서 살폈다.

　-대충 도주 경로를 생각해 두었으니 이제 최대한 빨리

구미호를 납치하기로 한다.

담우천은 마치 과거 사선행수 시절 수하들에게 했던 것처럼 일일이 전음을 보내 다음 행동을 지시했다. 화군악은 미미하게 고개를 끄덕이며 여전히 구미호 구엽과 설전을 벌였다.

'음?'

조금 떨어진 곳에서 그 광경을 주시하고 있던 홍염철검이 문득 고개를 갸웃거렸다. 담우천의 입술을 가린 손수건이 미미하게 달싹거리는 모습을 포착한 것이다.

'전음?'

전음이야 아주 대단한 무공은 아니었다. 어느 정도의 내공이 있고 전음술에 대한 수련을 제대로 한 자라면, 능히 펼칠 수 있는 수법이었다.

하지만 워낙 익히기 까다롭고 힘들어서 특별한 목적을 가지고 수련하는 경우가 아니면 대다수 무림인들이 중도에서 포기하는 수법이기도 했다.

대저 전음술을 익힌 자들은 암습, 기습, 잠입, 등에 특화된 인물들이라 할 수 있었다. 그들의 임무는 늘 은밀하고 조용해야 했기에, 소리 없이 의견을 주고받을 수 있는 전음술은 거의 필수적이라고 할 수 있었다.

'무슨 이야기를 하는 걸까?'

홍염철검은 가늘게 눈을 뜨면서 전음을 받은 다른 이들

의 모습을 지켜보았다. 때마침 화군악이 미미하게 고개를 끄덕이는 장면을 목격했다.

동시에 화군악의 몸이 잔뜩 긴장하는 게 느껴졌다. 또한 다른 자들 역시 내공을 끌어모으는 듯한 기척이 포착되었다.

'도망치려는 거로구나!'

홍염철검의 노회한 경륜이 그렇게 소리치고 있었다. 몸은 생각보다 빨랐다. 그리고 말이 가장 느렸다.

"어딜 도망치려는 게냐!"

홍염철검의 웅혼한 일갈이 터졌을 때는, 이미 그의 신형이 허공을 가르고 날아가 담우천의 어깨를 붙잡고 있었다. 그야말로 느닷없는, 전광석화와 같은 움직임이었다.

돌발적인 기습에 모든 사람이 당황하고 놀라는 순간, 정작 담우천은 미리 알고 있었다는 듯이 가볍게 어깨를 틀어 홍영철검의 손길을 피했다.

동시에 외려 홍영철검의 손목을 잡고는 단숨에 비틀어 꺾었다.

"허어!"

홍염철검의 팔에서 우두둑! 하고 뼈가 부러지는 소리가 날 법도 했지만, 그보다 먼저 그의 입에서 가벼운 탄성이 터져 나왔다.

그러고는 손목이 꺾이는 방향으로 공중제비를 돌아서 담우천의 공격을 파훼하는 동시에, 허공에서 오른발로 담우천의 턱을 가격했다.

담우천은 홍영철검의 손목을 끌어당기는 것으로 그의 움직임을 흩어 놓으려 했다.

하지만 균형을 잃은 와중에서도 홍영철검의 오른발은 정확하게 담우천의 턱을 가격했다.

담우천은 허리를 뒤로 젖혀 그 발길질을 피했고, 그 틈을 타서 홍영철검은 담우천의 손길을 뿌리치며 지면에 내려섰다.

그야말로 눈 한 번 깜빡이는 순간에 십여 합이 넘는 공방전이 펼쳐졌다. 내공이 부족한 이들은 직접 두 눈으로 보면서도 방금 무슨 일이 벌어졌는지 이해하지 못했다.

"호오, 제법이구나."

홍영철검은 진심으로 감탄하더니 허리에서 철검을 빼 들며 말을 이어 나갔다.

"풍기는 기세가 범상치 않다 했더니 알고 보니 숨은 고수였군그래. 오래간만에 내 호승심이 불타오르는군, 이거."

그의 철검은 당장에라도 허공을 가를 것만 같은 투기에 휘감겼다. 담우천도 방심하지 않고 허리를 낮추는 동시에, 전음을 통해 화군악들에게 이야기를 전했다.

-홍염철검이 공격하는 동시, 군악과 예추는 구염을 납치해라. 유 사부와 염요는 동남쪽 방위를 향해 도주 경로를 확보해 주시고.

빠르면서도 과감한 작전이었다.

화군악과 장예추는 단전 깊은 곳에서 내력을 끌어올렸다. 유 노대와 나찰염요는 언제든 지면을 박차고 허공으로 날아오를 태세였다.

그때였다.

장백두가 호탕하게 웃으며 홍염철검과 담우천 사이로 끼어들었다.

"하하하! 벌써부터 싸울 필요는 없을 것 같습니다!"

홍염철검이 가볍게 눈살을 찌푸리는 가운데 장백두가 활짝 웃는 낯으로 말을 이었다.

"예로부터 싸워서 이기는 것보다는 싸우지 않고 이기는 게 최선이라 하지 않았습니까? 마 어르신께서는 저를 믿고 잠시 물러나 주시면 감사하겠습니다. 제 능력이 부족하여 도저히 말로는 되지 않을 때, 그때 마 어르신께서 도와주셨으면 합니다."

홍염철검은 어이가 없다는 표정을 지으며 한마디 하려다가 문득 초일방의 얼굴을 떠올리고는 입을 다물었다. 그러고는 철검을 거둬들이며 뒤로 몇 걸음 물러났다.

어느새 다가온 구천자와 운룡신창이 홍염철검의 양옆

에 나란히 서서 나지막한 목소리로 소곤거렸다.

"잘 참으셨소."

"우리가 초 방주의 체면을 세워 주지 않으면 누가 챙겨
주겠소?"

그들의 위로 같은 칭찬에 홍염철검은 씁쓸한 표정을 지
으면서 묵묵히 고개를 끄덕였다.

2. 협박

사실 구천자나 운룡신창, 홍염철검과 같은 노영웅들에
게도 초일방이 주는 이름의 압박감은 만만치 않았다.

만에 하나 초일방을 거스르기라도 한다면 그가 매년 노
영웅들이나 그들의 문파에게 보내는 막대한 후원금이 끊
어질 수가 있었다.

거기에다가 오대가문과 척을 지게 되면 더 이상 강호
무림에 발을 붙이고 살아갈 수 없게 될 수도 있었다. 무
엇보다 '몰락한 형산파'라는, 아주 명징(明徵)한 타산지석
이 있지 않은가.

천하를 지배하는 건 결국 권력과 무력과 금력이었다.
오대가문이 그 세 가지를 모두 가지고 있는 한, 아무리
일세(一世)를 풍미한 노영웅들이라고 하더라도 거스를

수가 없었다.

그렇게 홍염철검을 뒤로 물러나게 만든 장백두는 담우천을 향해 차분한 어조로 말했다.

"조금 전 보여 주셨던 무위에 실로 탄복하고 있습니다. 실례가 되지 않는다면 대협의 존성대명을 알고 싶습니다만, 아! 이거 무례를 저질렀습니다. 먼저 제가 누구인지 소개부터 했어야 하는데 말입니다."

장백두는 정중하게 손을 모으며 인사했다.

"형문파의 장백두가 무림의 고인(高人)께 인사드립니다."

하지만 담우천은 말없이 화군악에게로 시선을 돌렸다. 마치 화군악에게 모든 걸 맡겼으니 그와 이야기하라는 듯한 모습이었다.

화군악이 피식 웃으며 입을 열었다.

"존성대명이라니? 몇 번이나 말하지만 우리는 그저 무명소졸에 불과할 뿐이라니까."

장백두가 가볍게 눈살을 찌푸리는 가운데 화군악이 계속해서 이야기했다.

"어쨌든 우리 쪽 창구는 나니까, 나를 통해서 대화해야지. 그런데 그쪽 대표는 누구야? 구미호? 송 지부주? 아니면 저 붉은 수염의 할아버지?"

화군악은 일부러 장백두를 쏙 빼놓고 물었다. 그 가벼

운 격장지계(激將之計)에 장백두는 헛웃음을 흘리며 대답했다.

"우리 쪽 대표는 나요. 그러니 나와 이야기를 하면 될 것이오."

"흠? 그래? 저 노인네들이 아니고? 그것참, 이상하군 그래. 명문 정파일수록 장유유서가 확실하다고 들었는데 말이지. 게다가 당신보다는 저 노인네들이 훨씬 강한 것 같은데."

화군악은 고개를 갸우뚱거리면서 혼잣말처럼 계속해서 말을 늘어놓았다.

"아니, 굳이 노인네들까지 가지 않고 송 지부주만 하더라도 형문파의 애송이보다는 몇 배 강할 텐데, 그래도 당신이 대표야? 왜? 왜 당신이 대표인데? 뒷돈 먹인 거야?"

거기까지 말한 화군악은 문득 알아차렸다는 듯이 제 이마를 툭! 치면서 크게 고개를 끄덕였다.

"아, 그렇군! 당신 뒤에 초일방과 금해가가 있었지. 뭐, 그들이 힘을 쓴다면야 세 살배기 어린아이도 충분히 대표가 될 수 있겠지. 맞아, 바로 그거였어. 이제야 왜 당신이 대표인지 잘 알 것 같군그래."

화군악의 그 비아냥이 자신을 흥분시키고 평정심을 잃게 만들기 위한 격장지계의 일환이라는 것 정도는 장백두도 잘 알고 있었다.

하지만 이야기를 들으면 들을수록 가슴이 들끓고 기분이 나빠지며 화가 나는 건 어쩔 도리가 없었다. 특히 저 손수건에 가려진 채 씰룩거리며 웃는 듯한 놈의 표정에 더없이 불쾌하고 짜증이 일었다.

당연히 장백두의 말투도 거칠어졌다.

"입이 뚫렸다고 해서 함부로 말하다가 제 명에 못 죽은 사람들 여럿 봤네."

"호오, 그걸 협박이라고 하는 거야?"

화군악이 이죽거렸다.

"내가 한 수 가르쳐 주지. 다음부터 사람을 협박할 때는 이렇게 하라고. 흐흠!"

그는 크게 헛기침을 한 뒤, 시퍼렇게 빛나는 살기를 담은 두 눈으로 장백두를 쏘아보며 으르렁거리듯 말했다.

"당장 엎드려 빌어라. 네 정혼녀의 옷이 갈기갈기 찢어져서 수많은 사내의 아랫도리에 뭉개지는 꼴을 보고 싶지 않다면 지금 당장 엎드려 잘못을 빌어라. 네 아비의 잘린 목을 짓이겨서 젓갈을 담그고 그 젓갈에 밥을 비벼 먹기 전에 항복하라. 네놈의 어미, 할미, 할 것 없이! 네놈의 모든 가족과 친척, 지인들을 참수하여 그 수백의 목을 일렬로 정렬하여 까마귀밥으로 만들기 전에 지금 당장 엎드려 항복하라."

그의 목소리는 한없이 낮고 한없이 어두웠다. 굶주린 맹수가 그르렁거리는 듯한 목소리였다. 음산하고 거칠어서 듣는 이의 귀에 거슬리고 심장을 긁는 듯한 목소리였다.

연무장에 서서 화군악의 이야기를 듣던 자들은 저도 모르게 온몸을 부르르 떨었다. 소름이 피부를 타고 전신에 퍼졌다. 솜털이 가시처럼 일어났다.

그들 모두 자신들이 협박당하는 것처럼 공포와 두려움에 질려 어찌할 줄 몰라 했다.

장백두 또한 본능적으로 마른침을 꿀꺽 삼켰다.

애당초 명문 정파를 지향하는 형문파에서 나고 자란 그였다. 욕설이라고는 기껏해야 개자식, 정도가 전부였던 그였다.

그러니 태생이 시궁창이고 쓰레기였던 화군악의 그 더럽고 끔찍하며 악랄한 입담을 당해 낼 리가 없었다. 말로 해서는 도저히 이길 상대가 아니었던 것이다.

놀라고 당황한 건 장백두뿐만이 아니었다. 느닷없이 쏟아진 화군악의 악독한 협박에 홍염철검을 비롯한 노영웅들과 태극천맹의 무사들, 금해가의 정예 무사들까지 일순 표정이 딱딱해지고 안색이 창백해졌다.

그들이 순간적으로 얼어붙은 듯 움직이지 않을 때였다.

─지금이다!

일순 담우천의 전음이 화군악들의 뇌리에서 울려 퍼졌다.

화군악과 장예추가 장백두의 머리 위를 뛰어넘었다. 유노대와 나찰염요는 동남쪽으로 몸을 돌려 그곳을 가로막고 있는 무사들을 향해 쌍장을 휘두르고 채찍을 내리쳤다.

담우천은 어느새 빼든 애검 거궐을 휘둘러 홍염철검과 구천자, 운룡신창의 사혈을 동시에 찔러 갔다.

그들을 에워싼 포위망이 순식간에 와해되는 순간이었다.

* * *

화군악과 장예추의 목표물은 송강우도 장백두도 아니었다.

담우천의 지시대로, 최대한 빨리 구미호 구염을 사로잡은 뒤 담우천들과 합류하여 이 자리를 빠져나가는 게 그들의 목적이었다.

그래서 화군악과 장예추는 장백두를 거들떠보지도 않은 채 단숨에 그의 머리 위를 뛰어넘어 구염에게로 날아가려 했다.

하지만 장백두는 그걸 가만 놔두지 않았다.

"어딜!"

장백두는 황급히 검을 빼 들어 제 머리 위를 뛰어넘는

화군악의 다리를 베어 갔다. 마냥 무시하기에는 상당히 날카롭게 맹렬한 일검이었다.

"아무래도 네가 네 명을 재촉하는구나!"

화군악이 소리치며 허공에서 방향을 선회, 장백두의 어깨를 노리고 일장을 뻗었다. 그의 장심(掌心)에서 막대한 경기가 뿜어져 나왔다.

장백두는 휘두르던 검의 궤적을 유지한 채 보법을 밟아서 화군악의 장력을 피했다. 그 순간, 화군악이 기다렸다는 듯이 장백두가 몸을 피한 방향으로 내려서며 명문혈을 가격하려 했다.

"손속에 정을 둔다고 하지 않았소?"

장백두는 검의 궤적을 바꿔 등을 막으며 소리쳤다. 그의 명문혈 부위에서 화군악의 일격과 검날이 부딪치며 챙! 하는 소리가 났다.

"쳇!"

회심의 기습을 실패한 화군악이 투덜거리며 지면에 내려서자, 장백두는 다시 검을 앞으로 돌려 자세를 고쳐 잡으며 환히 웃었다.

"어떻소? 그저 황급히 엎드려 잘못을 빌지 않아도 될 정도의 실력이지 않소?"

"흥!"

화군악은 코웃음을 치며 검을 빼 들었다. 유난히 살기

짙은 검명이 우웅! 하며 퍼졌다.

　마침 구염에게로 달려가던 송강우가 그 광경을 목도하고는 목이 터져라 소리쳤다.

　"그자와 검을 섞지 마시오!"

　송강우는 좀 더 조언을 해 주고 싶었지만 그럴 상황이 아니었다. 장백두의 머리를 훌쩍 뛰어넘은 장예추가 구미호 구염을 향해 날아들고 있었기 때문이었다.

　송강우는 곧장 부러진 칼을 휘두르며 구미호에게로 달려갔다. 막 구미호를 낚아채려던 장예추가 살짝 눈살을 찌푸리며 검을 빼 들어 송강우의 반토막 난 거치도를 후려쳤다.

　챙! 소리와 함께 금이 가 있던 송강우의 거치도가 산산이 부서지고 말았다. 선사(先師)의 유물(遺物)이 송두리째 박살 나는 순간이었다.

　송강우는 이를 악문 채 일장을 날렸다. 장예추는 은형환무(隱形幻霧)의 보법을 밟으며 피한 다음, 왼손을 앞으로 쭉 내밀었다. 그의 호수구(護手具)에서 미세한 우모침(牛毛針)이 수백 발이나 쏘아졌다.

　연무장 곳곳에 화톳불과 횃불이 밝혀져 있다고는 하지만 이미 한밤중이었다. 밤하늘은 먹구름에 반쯤 가려져 있었고, 달빛과 별빛도 보이지 않았다.

　'음?'

그 수백 발의 우모침이 날아드는 미세한 기척에 송강우는 황급히 하루살이들을 쫓아내듯이 두 손을 휘저었다.

투두둑!

그의 손에서 뿜어져 나오는 경기에 휩싸인 우모침들이 속절없이 바닥에 떨어졌다.

하지만 밤은 깊었고 사위는 어두웠다. 아무리 무공이 뛰어나고 시력이 좋은 송강우라 하더라도 느닷없이 쏘아진 수백 발의 우모침을 모두 피할 수는 없었다.

'이런.'

송강우는 저도 모르게 움찔거리며 주춤 물러났다. 미처 막지 못한 우모침들이 그의 전신에 파고들었다.

얼굴과 손, 목과 가슴 할 것 없이 따끔거렸다. 그것은 마치 벌침에 쏘인 듯 혹은 바늘에 찔린 듯한 기분 나쁜 통각이었다.

'뭐지, 설마 암기?'

송강우는 눈살을 찌푸렸다.

암기는 하오문 같은 뒷골목의 불량배들이나 살수나 변방의 이종족(異種族) 같은 수치심을 모르며 비열한 심장을 가진 자들만이 사용하는 무기였다.

그래서 사천당문도 무림인들에게 있어서 그 명성에 어울리는 존경을 받기보다는 공포와 두려움의 대상이 되었다.

그런 암기를 함부로 뿌리다니, 역시 이 수상한 자들은 결코 정파의 인물들이 아닌 게다.

송강우는 저들이 곤륜파의 노기인과 동행하고 있기에 저도 모르게 방심하고 있었다. 비록 손수건으로 얼굴을 가리고 역용술을 통해 정체를 감췄지만 그래도 정파의 인물일 거라고 믿은 그의 실수였다.

"빌어먹을 사마외도의 종자들이 감히……."

송강우는 두 눈을 부릅뜨며 입을 열었다. 하지만 그는 채 말을 끝내지도 못한 채 그대로 쿵! 소리를 내며 지면에 꼬꾸라졌다.

장예추는 팔목에 찬 호수구를 거둬들였다.

그가 착용한 호수구의 정식 명칭은 당가유혼영(唐家幽魂影)이었다. 평소에는 당혜혜가 착용했었는데, 장예추가 악양으로 출발하기 전 어딘가 쓸모 있을 거라며 선뜻 빌려준 물건이었다.

'그때만 하더라도 이렇게 유용하게 사용하게 될 줄은 미처 몰랐지.'

장예추는 쓰러진 송강우를 내려다보며 중얼거렸다.

"천운이라고 생각하시게. 평소와는 달리 화폭강침(火爆鋼針)이 아닌 우모침이라는 걸, 또 우모침에 극독(劇毒)이 아닌 미혼약(迷魂藥)을 발라 둔 것을, 그렇게 준비해 준 내 아내에게 감사하도록."

그렇게 말을 마친 장예추는 곧장 구미호 구염을 향해
몸을 날렸다.

3. 무시당해도 싸

미혼약은 사람을 혼미하게 만들어 정신을 잃게 하는,
일종의 수면제와 같았다.

공력을 산산이 흩어 놓는 산공독(散功毒)이나 걷잡을
수 없이 성욕을 일으키는 미약(媚藥)처럼 미혼약 또한 아
무리 내공이 깊고 무공이 강한 고수라 하더라도 중독시
킬 수가 있었다.

그래서 하류 잡배들이 무림 고수를 살해하거나 혹은 여
고수를 강간, 윤간하는 일이 간혹 발생하기도 했다.

하지만 일반적인 미혼약이라면 저렇게 쉽고 간단하게
송강우 같은 고수가 정신을 잃고 앞으로 꼬꾸라지지는
않았다. 그것은 장예추가 사용한 미혼약이 저 사천당문
에서 만들어진 비약(秘藥)이기 때문에 가능한 일이었다.

구염은 사색이 되었다.

믿고 있었던 송강우가 저리 쉽게 무너질 줄은 상상하지
도 못했다. 아니, 애당초 저 무뢰한들이 파천십일룡과 교
룡회 수백 명의 무사를 쓰러뜨리고, 이렇게 자신의 앞에

다가설 거라고는 전혀 생각하지 않았다.

　그녀는 장예추의 손이 자신의 어깨를 쥐어 오는 걸 보며 발작적으로 소리치며 손발을 휘저었다.

　"죽어라!"

　목숨을 건 저항이었다. 있는 내공 없는 무공 할 것 없이 모든 힘을 쏟아부어 장예추를 때리고 할퀴려 했다.

　하지만 장예추의 손은 뱀처럼 꿈틀거리며 다가와 너무나도 간단하게 그녀의 견정혈(肩井穴)을 찍었다. 이내 그녀의 몸이 축 늘어졌다.

　장예추는 재빨리 그녀를 부둥켜안은 다음 주위를 둘러보며 상황을 살폈다.

　누구 하나 그들에게 신경 쓰는 자가 없었다.

　장백두를 비롯한 금해가 사람들은 애당초 그녀가 누구인지조차 모르고 있었으며, 연무장을 가득 메운 태극천맹과 금룡회의 고수들은 탈출을 시도하는 유 노대와 나찰염요를 상대하느라 정신이 없었다.

　'그럼 내 몫은 다한 것 같군.'

　장예추는 가볍게 고개를 끄덕인 후, 곧장 섬광천주(閃光闡走)의 수법을 발휘하여 단숨에 연무장을 빠져나갔다.

　섬광천주는 지난날 전설적인 대도(大盜)였던 취몽월영의 독문절기로, 백여 장가량의 단거리라면 그 어떤 경공술의 대가도 그 뒤를 따라잡지 못할 정도로 빠른 경공술이었다.

일직선으로 연무장을 가르며 질주하는 그의 장삼이 바람 소리 세차게 펄럭이면서 나부꼈다.

연무장을 가득 메운 수많은 무사들이 그가 날아오는 모습을 보고 황급히 무기를 고쳐 쥐었지만, 정작 무기를 휘두르려 할 때는 이미 장예추가 그들의 곁을 스쳐 지나간 후였다.

그렇게 장예추는 별다른 방해를 받지 않은 채 교룡회 담을 훌쩍 뛰어넘어 어둠 속으로 자취를 감췄다.

'좋아!'

장백두와 맞선 화군악은 장예추가 담장을 뛰어넘는 광경을 힐끗 보며 내심 고개를 끄덕였다. 구미호를 납치했으니 이제 이곳에서 벗어나기만 하면 되는 일이다.

"허어! 나를 너무 무시하는구려! 감히 나를 앞에 두고 한눈을 팔다니 말이오!"

장백두가 소리치며 검을 휘둘렀다.

생각 외로 그의 검은 날카롭고 현란하여 무궁무진한 묘용까지 감추고 있었다. 검의 궤적은 기이하여 앞으로 찔러 들지, 옆으로 베어 들어올지 마지막까지 알 수 없었다.

게다가 자유자재로 허공에서 춤을 추는 검신(劍身)에

휘감긴 희미한 기(氣)는 검기(劍氣)! 이제 이십대 중반으로 보이는 장백두의 나이를 생각한다면 실로 무서울 정도의 무위였다.

"하하! 이 몸이 그렇게 무시당할 정도의 상대는 아닌 것 같지 않소?"

장백두는 여전히 호쾌하게 웃으며 빠르고 맹렬하게 검을 휘둘렀다.

화군악은 조금 더 그의 검법을 지켜보고 싶었다. 아무래도 신흥 강호인 형문파의 검법이 어느 정도인지 확인할 좋은 기회였으니까.

그러나 지금은 그렇게 마냥 여유를 부리고 있을 때가 아니었다.

어디까지나 화군악의 목표는 장백두가 아니라, 바로 이 아수라장 같은 금룡회 연무장에서 빠져나가는 일이었다.

그리고 그 목표를 위해, 화군악이 좀 더 쉽게 도주할 수 있도록 유 노대와 나찰염요가 수많은 적을 상대로 도주로를 여는 중이었다.

마냥 놀고 있을 시간이 없는 것이다.

"겨우 그 정도의 실력으로는……."

연신 보법을 밟으며 장백두의 공세를 피하기만 하던 화군악이 갑자기 제자리에 버티고 우뚝 섰다.

화군악은 내력을 한껏 끌어모았다. 동시에 그의 애병

군혼(群婚)이 우웅! 하며 검명을 흘리기 시작했다.

장백두는 뒷덜미의 솜털이 곤두서는 듯한 기분에 저로
모르게 움찔거렸다.

"역시 너는 무시당해도 싸."

화군악은 중얼거리며 내력을 가득 주입한 군혼을 벼락
처럼 휘둘렀다.

찌르기에 특화된 검(劍)이지만 부수고 박살 내는 칼
[刀]처럼 무자비하게 휘두르는 공격!

군혼이 요란한 소리를 내며 장백두의 정수리를 내리그
었다.

그야말로 벼락 같은 일격이었고, 계속 수세에 몰려 있
던 화군악의 느닷없는 역공(逆攻)이었다. 미처 보법을 밟
아 피하고 말고 할 시간이 없었다.

장백두는 반사적으로 검을 들어 화군악의 검을 막으려
했다.

바로 그 순간이었다.

"그자와 검을 섞지 마시오!"

장백두는 저도 모르게 송강우의 외침을 떠올렸다. 동시
에 그는 검을 비틀어 정면으로 부딪치지 않고 화군악의
검을 비껴 흘리려고 했다.

챙!

돌멩이에 유리가 깨지는 듯한 파열음이 일었다.

화군악의 검 옆면에 부딪친 장백두의 검이 산산조각이 났다. 그나마 다행인 것은 화군악의 검이 장백두의 검날을 타고 미끄러지듯 흘러서 그의 정수리는 무사할 수 있었다는 점이었다.

하지만 화군악이 휘두른 그 둔중한 무게와 강렬한 충격은 박살 난 검을 통해 장백두의 손아귀로 전해졌다.

쩌엉, 하는 듯한 울림이 손아귀에서, 손목으로, 다시 팔뚝으로, 그리고 장백두의 전신으로 퍼져 나갔다.

"큭!"

장백두의 입에서 짧은 신음이 비명처럼 터져 나왔다. 기혈이 뒤엉키는 바람에 하마터면 선혈까지 토할 뻔했다.

장백두는 들끓는 기혈을 억지로 가라앉히며 뒤로 두어 걸음 물러났다.

"어때? 무시당해도 할 말 없지?"

화군악이 그 모습을 지켜보며 비웃듯 물었다. 그러나 장백두는 대답할 기력도, 그럴 겨를도 없었다.

화군악은 말을 끝내자마자 재차 검을 칼처럼 무겁게 휘두르며 장백두의 몸을 긋고 있었다.

저 패왕신마도(覇王神魔刀)의 성명절기 패왕단섬폭(覇

王斷閃爆)를 속성으로 익힐 수 있게 만든 질풍단섬폭(疾風斷閃爆). 그중에서 단(斷)의 초식이 펼쳐진 것이었다.

이른바 공간과 공간을 베는 단(斷)!

사람의 뼈와 근육과 몸뚱어리를 단숨에 베고, 나무를 베고, 바위를 베고, 심지어 쇠까지 단숨에 베어 버리는 단(斷)!

호신강기마저 무 자르듯 베는 그 엄청난 위력 앞에서 버티고 막을 자가 없다는 단(斷)의 일격이 폭풍처럼 장백두의 왼쪽 어깨에서 오른쪽 허벅지를 사선으로 베어 갔다.

바로 그 순간, 화군악의 옆과 뒤에서 가공할 살기와 함께 네다섯 자루의 칼과 검이 동시에 날아들었다. 두 사람의 싸움을 지켜보던 익양 지부의 당주 황룡과 그의 심복들이 일제히 화군악의 배후를 노리고 덤벼든 것이었다.

화군악의 인상이 찌푸려졌다.

이대로라도 장백두의 몸을 반토막 내고 황룡 정도는 해치울 수 있었다.

그러나 등 뒤에서 날아드는 칼과 검까지는 막을 수가 없었다. 호신강기까지 펼친다면야 아슬아슬하게 가능할 것 같기도 했지만, 굳이 그런 위험한 상황을 만들 필요가 없었다.

'겨우 이 쥐새끼 한 마리 때문에 굳이 그럴 필요는……'

한 차례 눈 깜빡이는 사이에 그런 결론을 내린 화군악은 곧장 지면을 박차고 허공으로 솟구쳤다.

그 단순한 대응으로 황룡과 심복들의 공격은 물거품으로 돌아갔지만, 황룡들은 아쉬워하지 않았다. 어쨌든 그들의 목표는 화군악이 아니라 장백두였고, 그를 호위하는 게 그들의 임무였으니까.

그들은 화군악이 검을 회수하며 몸을 솟구쳐 날아오르는 걸 보고 재빨리 장백두의 곁으로 달려가 그를 엄호했다.

화군악도 아쉬워하지 않았다.

어차피 장백두는 그의 목표가 아니었다. 그저 장백두가 하도 요란스럽게 나서는 꼴이 못마땅해서 한 차례 훈계를 내릴 셈이었고, 이 정도라면 충분한 훈계가 되었으리라고 생각했다.

화군악은 허공 높이 솟구친 기세를 이용하여 곧바로 연무장 밖으로 몸을 날리며 크게 웃었다.

"하하하! 분하다면 조금 더 엄마 젖을 먹고 찾아오렴!"

밤하늘 멀리 날아가는 화군악의 뒷모습을 노려보는 장백두의 두 눈에 분노와 증오의 빛이 일렁거렸다.

"기억해 두마."

그는 이를 갈며 중얼거렸다.

"앞으로 네놈은 형문파뿐만 아니라 무림의 공적이 되

어 쫓길 것이다. 내 이름과 명예를 걸고 반드시 네놈을 능지처참해 주마.”

자존심이 무너지고 체면이 박살 난 데에서 솟구치는 분노와 증오로 두 눈이 뒤집힐 것 같았지만, 그래도 장백두는 이성의 끈을 놓지 않았다. 괜히 수하들에게 역정을 내며 그들에게 전혀 상대도 되지 않는 화군악을 뒤쫓으라는 멍청한 명령도 내리지 않았다.

장백두는 길게 호흡을 내쉬며 마음을 가라앉힌 다음 황룡을 돌아보며 입을 열었다.

“저자의 무위가 어느 정도 된다고 생각하시오?”

황룡은 머뭇거리다가 입을 열었다.

“인정하기는 싫지만 나보다는 강할 것 같습니다.”

“아니, 누가 그걸 모른답디까? 그런 당연한 걸 물어본 게 아닙니다.”

장백두는 짜증을 내며 말했다. 황룡의 얼굴이 붉어졌다. 장백두는 여전히 화군악이 사라진 밤하늘을 노려보며 말을 이었다.

“내 생각에는 최소 노경(老境)이나 문경(門境)급의 무위가 아닐까 싶소이다.”

‘아, 그런 이야기였더냐?’

황룡은 얼굴을 붉힌 채 고개를 끄덕였다.

“최소한 노경 그 이상일 것 같습니다.”

일반적으로 무공 수준을 가늠하는 건 자신보다 아래에 있을 때나 가능한 일이었다. 자신보다 실력이 뛰어난 상대의 경우에는, 그게 한 수가량 높은 건지 두 수, 혹은 세 수가량 높은 건지 감을 잡을 수가 없는 법이었다.

그런 의미에서 장백두나 황룡이 화군악의 무위를 평가하는 건 어디까지나 짐작에 불과할 뿐, 그게 사실이 될 수는 없었다. 그럼에도 불구하고 두 사람은 화군악의 무위를 매우 높게 평가하고 있었다.

그들이 말한 노경(老境)이라는 건 곧 구파일방 장로 정도의 무공 수준을 의미했다.

각 문파에 십여 명, 아무리 많아도 이삼십 명 정도에 불과한 최고 수준의 경지. 심지어 저 해변의 모래알처럼 고수들이 즐비하다는 오대가문에서조차 백여 명에 불과하다는 절정의 경지.

게다가 그 위의 문경급이라면 또 이야기가 달라진다. 구파일방의 장문인에 해당하는 무위, 각 문파에 두어 명, 많아야 열 명 정도밖에 존재하지 않는 초절정의 경지가 바로 문경이었으니까.

겨우 이십 대의 나이에 그런 경지까지 오른 인물이 세상에 존재할 수 있다는 것일까.

사십 대 중년 사내로 변장한 화군악을 이미 이십 대 청년이라고 단정한 장백두는 재차 입술을 깨물며 생각하다가 불쑥 입을 열었다.

"어쨌든 놈의 검이 문제로군."

아직도 얼굴이 벌겋게 달아오른 황룡이 미처 듣지 못한 듯 되물었다.

"네?"

장백두가 말했다.

"송 지부주의 검을 박살 내고, 내 애검마저 일격에 산산조각을 낸 놈의 검 말이오. 그 마검(魔劍)부터 어쩌지 못한다면 무공이 아무리 강하다 한들 아무 소용이 없다는 뜻이오."

"아······."

황룡이 고개를 끄덕일 때였다.

"아악!"

"커억!"

단말마의 비명이 그들의 정신을 일깨웠다.

황룡과 장백두는 동시에 비명이 터져 나온 방향으로 고개를 돌렸다.

9장.
난전(亂戰)의 결과

있을 수 없는 일이었다. 있어서도 안 되는 일이었다.
쇠로 만들어진 검이 동강이 나는 것도 아니고 산산조각이 나는 것도 아니라,
반으로 쪼개지듯 갈라지는 것이다.

1. 비슷한 사람들

결사적으로 막고 있던 포위망 한쪽이 불어나는 물을 감당하지 못한 둑처럼 무너졌다. 유 노대와 나찰염요는 그 뚫린 포위망 안쪽으로 직진하며 길을 만들고 있었다.

유 노대는 여전히 교룡회와 태극천맹 무사들을 상대로 살수를 자제하는 중이었으나 나찰염요는 달랐다. 그녀의 채찍이 요란한 파공성을 일으키며 허공을 가를 때마다 몇 개의 비명이 동시다발적으로 터져 나왔다.

"군악과 예추는 빠져나간 것 같군."

유 노대가 지풍을 날려 정면에서 덤벼드는 무사들의 혈도를 제압한 후 주변을 돌아보며 중얼거렸다. 나찰염요는 바로 그의 등 뒤에서 좌우의 무사들을 상대로 연신 채찍을 휘두르며 소리쳤다.

"그럼 굳이 우리가 이렇게 도주로를 만들 필요가 없잖아요?"

"그야 그렇지."

유 노대는 힐끗 뒤를 돌아보았다.

나찰염요의 어깨 너머로 한 무리를 상대로 맞서고 있는 담우천의 등이 보였다. 그 광경은 마치 모든 걸 집어삼킬 듯 밀려드는 해일 앞에서 태산처럼 우뚝 버티고 홀로 막아 내는 듯한 모습이었다.

장판파(長坂坡)의 장비(張飛).

그건 홀로 버티고 서 있는 담우천의 넓은 등을 보자마자 유 노대의 뇌리에 떠오른 생각이었다.

유 노대는 이내 고개를 저어 상념을 떨쳐 내는 동시, 입술을 오므려 휘파람을 불 듯 소리를 냈다. 그의 입술 사이로 새가 지저귀는 듯한 소리가 흘러나왔다.

─이제 도주하세!

바로 그런 의미를 지닌 새 울음소리였다.

* * *

"그나마 다행이군. 그래도 크게 다친 것 같지 않아 보여서."

구천자는 한껏 끌어올렸던 내공을 단전으로 돌려보내
며 중얼거렸다.

장백두가 화군악의 검에 반토막이 나려는 순간, 그는
전력을 다해 화군악에게 일장을 날리려고 했다. 하지만
바로 다음 순간 황룡과 심복들이 뛰어드는 바람에 다행
히 그런 일은 벌어지지 않았다.

"허허. 세상이 얼마나 넓고 거대한지 알고 겸허해질 수
있도록 조금은 당해도 된다고 생각했다오. 형문파와 금
해가를 등에 업은 저 아이의 모습이 조금은 오만방자하
기까지 해 보여서 말이오."

홍염철검의 말에 운룡신창도 고개를 끄덕이며 말했다.

"마 형도 그리 생각하셨소? 허허허. 사실 나도 비슷한
생각을 했다오. 하지만 생각보다 그 원숭이처럼 생긴 자
가 강하더구려. 태극천맹 아이들이 아니었더라면 바로
창을 날리려 했으니까 말이오."

세 노기인들은 한밤중에 들려오는 새소리를 흘려들으
며 두런두런 대화를 나누는 중이었다.

사실 그들은 이 난전에 적극적으로 뛰어들 생각이 전혀
없었다.

그들이 담우천들과 은원이 있는 것도 아니었으며, 또 유
노대를 비롯한 저 자들이 나름대로 손속에 정을 두고 싸우

는 것 역시 그들의 투기를 적잖이 가라앉히고 있었다.

　무엇보다 그들은 정도를 표방하는 무림인인 반면, 교룡회는 하오문이라는 점이 컸다.

　교룡회는 길거리에 널리고 널린 흑도 방파 중 하나였다. 그런 교룡회가 괴멸되는 건 홍염철검들에 있어서 하등의 타격도 주지 못했다.

　그저 그들은 금해가 가주 초일방이 부탁한 대로 장백두가 뛰어난 활약을 할 수 있게끔 도와주면 된다고 생각했다.

　그래서 조금 전, 원숭이처럼 생각 자에 의해 하마터면 장백두가 목숨을 잃을 뻔했던 상황에 그들은 적잖이 놀라고 당황했었다. 원숭이처럼 생긴 자가 그리 강할 줄 미처 상상하지도 못했던 까닭이었다.

　"흐음. 그런데 그 원숭이가 사용한 검법이 어딘지 패왕신마도의 패왕단섬폭과 비슷해 보이지 않더이까?"

　"음? 설마요."

　"검을 가지고 그렇게 무지막지하게 휘두르는 검법은 처음 보기는 했지만 그래도 패왕신마도라니, 너무 앞서 생각하시는 것 같소이다."

　"그렇소? 역시 내 기우인 모양이구려."

　"어쨌든 이자들, 확실히 강하오. 그 원숭이뿐만 아니라 먼저 도주한 사내나 저쪽 노인과 여인 모두 절대 무명소졸은 아닌 게 분명하오."

"그나저나 저 노인은 아무리 봐도 곤륜파 사람인 것 같은데 말이오."

"아, 나도 그리 보았소. 비록 나름대로 변형한다고는 했지만 그래도 저 노인의 경공술은 확실히 운룡대팔식이오."

"흐음, 가만있자. 저 정도 나이와 저 작은 체구의 곤륜파 노기인이라면…… 응? 설마 곤륜노군(崑崙老君) 부도옹(不倒翁)은 아니겠지?"

"곤륜노군? 허허, 설마요. 그분은 이미 오래전에 강호를 떠나 은거했다고 들었소."

"나도 그리 들었소. 하지만 은퇴를 번복하는 경우야 많으니까……."

"그렇다고 곤륜노군이 이깟 교룡회의 일에 끼어들기 위해서 은퇴를 번복할 것 같지는 않소이다만……."

"흠, 역시 내 착각인 모양이오."

홍염철검은 나지막한 목소리로 그리 말한 후 다시 담우천에게로 시선을 돌렸다.

담우천 역시 온갖 비명과 고함, 병장기 부딪치는 소리가 울려 퍼지는 가운데에서도 유 노대가 흘린 그 새 울음소리를 똑똑히 들을 수가 있었다.

하지만 담우천은 지금 이 자리에서 쉽게 몸을 빼낼 수

가 없었다. 정면에서 그를 압박하고 있는 세 명의 노인, 그들의 기세와 투기와 위세가 생각보다 더 강렬했고 중후하며 매서웠던 까닭이었다.

구천자와 운룡신창, 홍염철검이 주는 위명은 하나같이 천하를 위진(威震)하기에 충분했다.

그들 모두 구파일방의 장문인 이상의 무위를 지녔으며, 하나같이 저마다의 독특한 절기로 지난 반백 년 동안 강호무림을 종횡무진한 고인들이었다.

'일대일의 승부라면 모르되…….'

삼대일의 승부가 되자, 아무리 담우천이라 하더라도 만만하지 않게 되었다.

더더군다나 그들의 주위에는 금해가의 정예 무사들이 작은 포위망을 이루고 있었다. 그들의 전력까지 포함한다면, 역시 유 노대와 나찰염요의 도움을 요청해야 하는 게 옳은 것일지도 몰랐다.

그러나 담우천의 표정은 여전히 변화가 없었다.

무심하고 담담한 얼굴. 무엇을 생각하는지 전혀 알 수 없는 표정.

홍염철검은 그 담우천의 얼굴을 물끄러미 지켜보다가 불쑥 질문을 던졌다.

"혹시 무정검왕과 아는 사이냐?"

담우천은 고개를 갸웃거리며 되물었다.

"무림십왕의 그 무정검왕?"

"그래. 그 무정검왕 말고 또 다른 무정검왕이 있을 리가 없잖느냐?"

홍염철검의 말에 담우천은 담담한 표정으로 다시 물었다.

"왜 알려고 하지?"

"네 녀석이 풍기는 기운과 기세가 왠지 모르게 그 무정검왕과 닮은 것 같아서 하는 말이다. 혹시 그 친구를 사사(師事)했나 해서 묻는 게다."

"그럴 리가."

담우천은 짧게 말했다.

"전혀 그렇지 않으니 안심하고 덤벼도 좋아."

그건 거짓말이었다.

담우천은 무정검왕과 안면이 있었다. 아니, 안면뿐만이 아니라 확실히 그에게 검을 배운 적도 있었다.

과거 삼사십 년 전, 담우천이 사선행수가 되기 훨씬 전, 코흘리개 어린 꼬마에 불과했을 시절, 무정검왕은 무적가가 안배한 교부들 중의 한 명으로 담우천과 수백 명의 꼬마들에게 검을 가르친 적이 있었다.

그때만 하더라도 무정검왕은 젊었고 활발했으며 다정다감했다. 무정검왕이라는 별호로도 불리지 않았다. 당시 무정검왕은 그 어린 소년소녀들에게 이렇게 말했다.

"내 이름은 목부강(穆富康)이다. 동료들은 훗날 검왕(劍王)이 되라는 격려로, 나를 가리켜 소검왕(少劍王)이라고 부른다. 너희들은 앞으로 목 교부라고 부르면 된다. 사실 교부보다는 숙부나 백부라는 호칭이 더 정겹기는 하지만, 어쨌든 내가 너희들을 가르치는 입장이다 보니 교부라는 호칭이 더 어울리기는 하겠지. 그럼 앞으로 내게 더 많은 것을 배우고 수련해서 소검왕이 아닌 진짜 검왕들이 되기를 진심으로 바란다!"

드넓은 연무장에 빽빽하게 들어선 꼬마들 사이에서 당시 담우천은 '참 쓸데없이 말이 많은 사람'이라고 무정검왕을 평가했다.

또 '이렇게 길게 이야기할 시간에 조금이라도 휴식 시간을 주는 게 더 좋은데'라고 투덜거리기도 했다. 어쨌든 당시 담우천은 하루에 불과 한두 시진밖에 잠을 자지 못했으니까.

어느덧 담우천이 성장하여 사선행자의 일원이 되고 다시 사선행자를 지휘하는 사선행수가 되었을 때, 소검왕 목부강은 세상 사람들로부터 무정검왕이라 불리기 시작했다.

무정하고 냉정하며 한없이 입이 무거워 늘 침묵하는 자. 그게 목부강의 새로운 얼굴이 되었다.

물론 담우천은 교부 시절 이후 목부강을 만난 적이 단

한 번도 없었다.

그래서 담우천은 목부강의 변화된 모습도 본 적이 없었으며, 왜 수다 떨기를 좋아하고 아이들 한 명 한 명에게 애정을 주던 그 다정다감한 모습이 사라졌는지도 알지 못했다.

'세월이 흘렀으니까.'

담우천은 그렇게 간단하게 생각했다.

세월은 물처럼 느릿하게 흐르지만, 물속의 돌들이 깎여 나가 둥글둥글해지듯 그렇게 세월은 세상 모든 것들을 알게 모르게 바꾸었다.

사람도 마찬가지인 법이다.

온후하던 사람이 냉혹해지기도 하고, 냉정하던 사람이 다정다감해지기도 한다. 부자가 가난해질 수도 있고, 건강한 자가 몹쓸 병에 걸려 생사를 헤맬 수도 있다. 그게 세월이 가진 힘 중의 하나인 게다.

담우천은 게서 상념을 떨쳐 냈다.

홍염철검의 괜한 한 소리로 인해 순간적이나마 잠시 방심했었다. 만약 그걸 알아차리고 홍염철검들이 기습을 감행했더라면, 아무리 담우천이라 하더라도 쉽게 막아 낼 수 없었을 것이다.

'아직 수련이 부족한 게다.'

담우천은 속으로 중얼거리며 천천히 검에 진기를 불어

넣었다.

우우우!

낮고 장엄한 검명이 일기 시작했다.

동시에 기다렸다는 듯이 세 노기인의 눈빛과 표정과 자세가 달라졌다.

2. 생사(生死)의 결전(決戰)

"역시."

홍염철검이 감탄했다.

담우천이 검에 내공을 주입하는 순간, 그의 전신에서 감당할 수 없는 기세가 뿜어져 나왔다. 마치 잔뜩 웅크렸던 곰이 벌떡 일어나며 두 팔을 벌리고 포효하는 듯한 기세였다.

비록 지금까지 세 명의 노기인들이 정면의 담우천은 신경 쓰지 않은 채 유유자적 대화를 나누는 듯했지만, 실상은 전혀 그렇지 않았다.

그들은 처음부터 담우천을 눈여겨보고 있었다. 또한 홍염철검과 대등하게 십여 합의 공방을 펼친 이후, 노기인들은 더욱 긴장의 끈을 늦추지 않고 있었다.

'강한 자다.'

'우리 못지않은 고수다.'

'허어, 역시 세상은 넓고 고수들은 많다니까. 아직도 내가 모르는 고수들이 즐비한 걸 보면 말이지.'

세 노기인은 내심 그런 생각을 하면서 겉으로는 태연한 척 대화를 나눴던 것이다.

하지만 담우천이 자신의 검에 내력을 주입하는 순간, 노기인들의 거짓된 여유와 꾸며진 허세는 순식간에 사라졌다. 대신 범접할 수 없는 위엄과 기세가 서리서리 뿜어져 나왔다.

구천자는 가볍게 왼발을 뒤로 빼며 몸을 비스듬히 선 채 오른손을 살짝 앞으로 내밀었다. 언제든지 공수(攻守)가 가능한 그만의 독특한 기수식이었다.

운룡신창은 가볍게 장창을 바람개비처럼 휘두르고는 두 손으로 잡고 자세를 낮췄다. 그의 주변에서 회오리바람이 일기 시작했다.

홍염철검 또한 천천히 철검을 빼 들었다. 스르릉! 소리와 함께 붉은빛이 감도는 철검이 모습을 드러냈다.

녹이 슬었을까, 아니면 피에 물들었을까. 은은한 붉은빛의 철검이 일렁이는 화톳불의 불빛을 받아 번들거리고 있었다.

세 명의 노기인이 그렇게 공격의 자세를 취했음에도 불구하고 담우천의 표정은 여전히 무심했다.

그가 냉정한 눈빛으로 세 명의 노인을 바라보면서 거궐을 쥔 손과 지면을 딛고 있는 두 발에 살짝 힘을 주었다 싶은 순간, 담우천의 신형은 구천자의 품 안에 들어서 있었다.

파앙

뒤늦게 한껏 압축되었던 공기가 폭발하는 굉음이 들려왔다.

그야말로 소리보다 빠른 움직임!

'헛!'

구천자가 깜짝 놀라며 다급하게 우수(右手)를 뻗어 담우천의 가슴팍을 후려치려 했다.

하지만 이미 그 자리에는 담우천이 없었다.

신기루처럼 구천자의 전면에 나타났던 담우천은 이내 신기루처럼 그의 시야에서 사라지는 동시에, 운룡신창의 우측에서 모습을 드러내더니 그의 옆구리를 향해 일검을 찌르고 있었다.

"으음."

오른손으로 애꿎은 허공을 후려갈겼던 구천자는 담우천의 행적을 좇아 몸을 돌리려다가 문득 파고드는 통증을 느꼈다.

그는 저도 모르게 신음을 흘리며 아래를 내려다보았다. 그제야 그의 옆구리에서 피가 주르륵 흘러내렸다.

언제, 어떻게 당한 것일까.

구천자의 안색이 새파랗게 변할 때, 운룡신창은 장창을 휘두르며 고함을 내질렀다.

"어디서 암습을!"

운룡신창의 장창이 담우천의 검을 후려치는 찰나, 담우천은 손목을 틀어 검의 궤적을 바꾸며 단숨에 장창을 베었다. 쇠보다 더 단단하다는 흑단목(黑檀木)으로 만든 장창이 뎅강 두 동강이 났다.

운룡신창의 눈이 화등잔 만하게 커졌다. 수십 년 동안 생사고락을 함께 나눴던 장창이 이토록 허무하게 두 동강이 날 줄 누가 알았겠는가.

그렇게 운룡신창이 이성을 놓고 멈칫거릴 때였다. 운룡신창의 장창을 벤 검은 또다시 궤적을 바꾸면서 그의 옆구리를 찔러 갔다.

"위험하오!"

홍염철검과 구천자가 동시에 소리치며 담우천을 향해 철검을 휘두르고 좌수(左手)를 내질렀다.

붉은빛 검기가 담우천의 목을 찌르고, 구천자의 왼손에서 뿜어진 장력이 질풍노도와 같은 기세로 담우천의 등을 강타했다.

담우천의 목에 구멍이 뚫리고 등이 박살 날 것 같은 순간, 거짓말처럼 담우천의 신형이 그 자리에서 사라졌다.

"똑같은 수법에 매번 당하겠느냐!"

홍염철검은 고함을 내지르며 철검을 회수하는 동시, 운룡신창의 머리 위를 훌쩍 뛰어넘으며 텅 빈 공간을 향해 재차 철검을 뻗었다.

믿을 수 없게도 방금까지 아무것도 없던 공간에서 담우천의 신형이 스르륵 모습을 드러냈다. 그리고 홍염철검의 철검은 정확하게 담우천의 가슴을 찌르고 있었다.

'역시……'

담우천의 얼굴에 감탄의 빛이 스며들었다. 하지만 그는 당황하지 않았다. 외려 기다리고 있었다는 듯이 거궐을 앞으로 뻗어 철검과 마주했다.

검극과 검극이 허공에서 맞부딪쳤다. 거궐의 검극이 그대로 철검의 검극을 가르며 앞으로 밀고 나갔다.

일순 홍염철검의 안색이 시뻘겋게 변했다. 그의 두 눈은 경악으로 물들었고, 동굴처럼 크게 벌려진 입에서는 헛바람만이 새어 나왔다.

"헉!"

그럴 수밖에 없었다. 담우천의 거궐이 천천히 밀려드는 가운데, 쩌엉! 하는 소리와 함께 그의 철검이 반으로 갈라지고 있었으니까.

있을 수 없는 일이었다. 있어서도 안 되는 일이었다.

쇠로 만들어진 검이 동강이 나는 것도 아니고 산산조각이

나는 것도 아니라, 반으로 쪼개지듯 갈라지는 것이다. 도대체 어떤 검이 그런 기묘한 조화를 부릴 수 있단 말인가.

생각할 겨를은 없었다. 담우천의 검이 어느새 철검 손잡이까지 파고들었으니까.

홍염철검은 황급히 철검을 내던지며 뒤로 훌쩍 물러났다.

동시에 마치 미리 손발을 맞춘 것처럼 운룡신창이 몸을 회전하며 부러진 창으로 담우천의 머리를 후려쳤고, 또한 구천자도 다시 한번 강맹무비한 장력을 뿜어냈다.

담우천의 신형이 신기루처럼 사라졌다. 그리고 게서 약 일 장 정도 떨어진 곳에서 다시 그의 신형이 불쑥 튀어나왔다.

그야말로 요술(妖術)과도 같은 움직임이었다.

놀란 눈으로 지켜보고 있던 금해가 무사들이 고함을 치며 그에게 덤벼들려 했다.

하지만 그보다 먼저 홍염철검이 크게 외쳤다.

"모두 멈춰라!"

금해가 무사들이 움찔하며 홍염철검을 돌아보았다. 홍염철검은 두 조각으로 갈라진 검신이 대롱대롱 매달려 있는 철검을 주워 들고 잠시 내려다보고는 다시 담우천을 바라보며 입을 열었다.

"그 검, 거궐인가?"

일순 운룡신창과 구천자는 물론 주변의 모든 무사들이 웅성거렸다. 홍염철검은 다시 한번 자신의 철검 상태를 확인하면서 재차 입을 열었다.

"전설에 따르자면 거궐에 베이거나 잘린 부위에 좁쌀만 한 구멍들이 송송 뚫린다고 하던데…… 지금 내 검이 그런 상태이네. 게다가 저 구야자나 간장이 만든 검이 아니라면 어떻게 내 철검을 이렇게 기묘한 형태로 만들 수 있겠느냐?"

홍염철검의 말에 사람들은 모두 담우천이 쥐고 있는 검에 시선을 집중했다.

구천자의 옆구리를 찌르고 운룡신창의 장창을 두 동강을 내고 홍염철검의 철검을 반으로 갈랐음에도 불구하고, 그의 검은 핏물이나 기름 한 점 묻어 있지 않았고 날도 전혀 빠지지 않았다.

그게 저 전설의 명검인 거궐인지 아닌지는 몰라도, 확실히 천하의 보검인 것만은 확실해 보였다.

담우천은 대답하지 않은 채 유 노대와 나찰염요의 동태를 확인했다. 한바탕 담우천이 크게 싸우는 와중에 그들은 무사히 연무장을 벗어나 탈출에 성공한 듯했다.

'그럼 이제 나만 남았군.'

담우천은 길게 호흡을 내쉬며 다시 공격의 자세를 취했다. 그가 검을 높이 들자 세 노기인은 물론 주변 모든 무사들도 잔뜩 긴장하며 방어의 자세를 잡았다.

저 무심한 표정의 사내가 어떤 방식으로 누구를 기습할

지 전혀 예상할 수가 없었기에 사람들의 긴장감은 극한에 다다랐다.

검을 높이 든 채 정면을 주시하던 담우천이 갑자기 사자후(獅子吼)와 같은 고함을 내질렀다.

"간다!"

연무장 전체가 쩌렁쩌렁 울리는, 심지어 담벼락과 건물까지 우르르 흔들릴 정도로 우렁찬 목소리였다.

내공이 약한 무사들은 고막이 찢어지는 듯한 충격에 비틀거렸고, 조금 더 강한 고수들은 인상을 쓰며 귀를 막았다.

심지어 홍영철검과 구천자, 운룡신창도 담우천의 사자후에 가볍게 눈살을 찌푸려야만 했다.

"그래, 어디 한번 제대로 붙어 보자!"

"와라!"

구천자와 운룡신창은 담우천의 사자후에 맞서 크게 고함을 내지르며 자세를 취했다.

바로 그 순간, 담우천이 지면을 박차고 허공 높이 솟구치는가 싶더니 이내 방향을 틀어 연무장 밖으로 도망치는 것이었다.

생사의 결전을 각오하고 준비하던 세 노기인은 어안이 벙벙한 표정이 되었다. 담우천이 그렇게 도주할 줄 전혀 생각하지도 못한 까닭이었다.

3. 환섬신루(幻閃蜃樓)

"뭐, 뭐냐?"

구천자가 어이없다는 듯이 중얼거렸다.

귀를 막은 채 주춤주춤 물러서던 금해가 무사들도 그제야 사태를 파악하고 담우천의 뒤를 쫓으려 했다.

하지만 이번에도 홍염철검의 일갈이 그들의 발길을 멈춰 세웠다.

"됐다!"

무사들은 다들 홍염철검을 돌아보았다. 홍염철검은 한숨을 내쉬며 입을 열었다.

"쫓을 필요가 없다. 쫓는다고 쫓을 수 있는 상대도 아니고, 또 설령 쫓아봤자 다들 개죽음만 당할 테니까."

사람들은 머뭇거리며 서로를 돌아보았다. 하기야 홍염철검 같은 노기인들마저 다치거나 무기를 잃었는데 그들이 뒤쫓아 봤자 무슨 소용이 있겠는가.

"하지만 이대로 물러설 수는 없잖소?"

구천자가 눈을 부릅뜨며 말하자, 홍염철검은 그의 옆구리를 슬쩍 바라보며 물었다.

"부상 부위는 어떻소?"

"흥! 그깟 놈의 일격에 크게 다칠 내가 아니오. 그저 살갗만 찢어졌을 뿐이오. 그러니 지금이라도……."

"아니, 이미 늦었소."

홍염철검은 고개를 설레설레 흔들며 말했다.

"더 이상 우리가 할 수 있는 일은 없소. 그러니 이곳 상황이 정리되는 대로 돌아갑시다."

"하지만 마 형!"

"그래도 죽거나 크게 다친 자가 적고, 무엇보다 형문파장 소협이 건재한 것만으로 다행이라고 생각합시다. 그자들에 대한 일은 금해가로 돌아가서 진지하게 이야기하는 게 나을 것 같소."

홍염철검의 말에 운룡신창과 구천자는 입술을 잘강잘강 깨물다가 어쩔 도리가 없다는 듯이 고개를 끄덕였다.

"생각해 보니 그게 최선인 것 같구려."

"마 형 말씀대로 초 방주와 상의하는 게 우선일 것 같소."

분하지만 그게 최선이었다.

구천자는 다쳤고, 홍염철검과 운룡신창은 무기를 잃었다. 정상적인 상황에서도 놈을 따라잡고 쓰러뜨린다는 확신을 할 수 없는 만큼, 지금은 한발 뒤로 물러났다가 차후를 도모하는 게 냉정한 판단이었다.

그렇게 의견을 통일한 노기인들은 주위를 둘러보았다.

불행 중 다행이랄까. 죽거나 크게 다친 자는 그리 많지 않았다. 쓰러진 자 대부분은 혈도를 제압당했거나 혹은 팔다리가 부러진 정도의 부상이었다.

'손에 정을 두었다'는 말이 무슨 의미인지 확실히 실감할 수 있는 대목이었다.

하지만 암담한 표정으로 그 상황을 둘러보는 노기인들은 이윽고 길게 한숨을 내쉬고는 부상자들을 돌보기 위해 움직이기 시작했다.

* * *

'다행이다.'

연무장을 벗어나 밤하늘을 날아가던 담우천은 내심 그렇게 중얼거렸다.

아슬아슬한 순간이 제법 있었지만, 그래도 모든 게 계획대로 성공한 것은 확실히 다행스러운 일이었다.

애당초 홍염철검과 구천자, 운룡신창과 정면으로 부딪치지 않고 그들에게 약간의 타격을 줘서 추격할 수 없게 만들겠다는 게 담우천이 떠올린 순간적인 계획이었다.

사실 정면으로 부딪쳐서 싸운다면, 전력을 다해서 승부를 보려 했다면 그래도 어쩌면 저 세 노기인들을 해치울 수 있었을 것이다.

하지만 그렇게 되면 담우천도 결코 피해를 입지 않을 수 없었다. 체력은 저하되어 움직임이 둔해질 것이고, 내공은 바닥까지 떨어져 있을 게 분명했다. 그 상태에서 수백 명의 무사들을 상대할 수는 없었다.

가장 좋은 방법은 다치지 않고 그 자리를 벗어나는 거라고 담우천은 생각했다.

그리고 그 방법이 바로 조금 전의 상황이었고, 무엇보다 담우천이 신기루처럼 사라졌다가 수 장 밖에서 신기루처럼 나타날 수 있게 한 수법으로 인해서 가능할 수 있었다.

철목가 가주 정극신과의 대결 이후, 아직 실력이 부족하다고 느낀 담우천은 자신이 익힌 모든 무공을 새롭게 점검하고 보완하기 시작했다.

그러던 와중 그는 둔형장신보(遁形藏神步)의 보법과 폭광질주섬(爆光疾走閃)이라는 신법의 장점만을 합쳐서 새로운 술법(術法)을 만들 수가 있었다.

담우천이 환섬신루(幻閃蜃樓)라 명명한 그 술법의 효과는 대단해서 저 백도의 노기인들까지 전혀 알아차리지 못할 정도였다.

'하지만 아직 부족하다.'

쉴 새 없이 지붕과 지붕을 타면서 담우천은 인상을 찌푸렸다.

아쉽게도 담우천의 환섬신루는 아직 완벽한 무공이 아니었다. 그렇기에 홍염철검이 그의 움직임을 간파하고 미리 그가 이동하려는 장소에 와 있었던 것이다.

만약 그때 홍염철검이 십 성 내공을 완벽하게 운용하여 그를 미리 공격했더라면, 아무리 담우천이라 할지라도 조금 전과 같은 반응을 보이지 못했을 터였다.

'정말 다행이었지. 그가 확신하지 않았던 것이…….'

기실 홍염철검은 스스로가 알아차린 부분에 대해서 완벽한 확신을 가지지 못했다.

자칫 전력을 다해 내지른 일격이 허공을 찌르는 가운데, 엉뚱한 곳에서 담우천이 나타난다면 그야말로 진퇴양난의 상황에 처할 수 있었다.

홍염철검은 만일을 대비하여 불과 사 성의 내공만을 운용하여 철검을 내질렀고, 덕분에 담우천은 뒤늦게라도 그 철검에 대응할 수 있었다.

'좀 더 가다듬어야겠다.'

환섬신루의 가능성을 확인한 만큼 보다 정교하고 세밀하게 가다듬으면, 초절정고수들을 상대로도 충분히 사용할 수 있다는 계산이 섰다.

그것만으로도 이번 악양부의 행사는 담우천에게 있어서 상당한 이득이라 할 수 있었다.

그때였다.

멀리서 새 울음소리가 희미하게 들려왔다. 담우천의 눈썹이 꿈틀거렸다.

'음? 왜 갑자기?'

지금 들려온 요족의 신호는 이동하는 장소를 바꾸겠다
는 의미를 지니고 있었다.

얼마 지나지 않아 다시 새 울음소리가 들려왔다. 그 울
음소리는 담우천이 가야 할 새로운 목적지를 알려 주고
있었다.

담우천은 잠시 생각하다가 고개를 갸웃거렸다.

'흠. 그곳이 안전하기야 하겠지만…….'

어쨌거나 구미호 구염을 납치한 게다. 그녀를 고문하
든 설득하든 제대로 이야기를 들으려면 그럴 만한 장소
가 필요했을 게고, 아무래도 평범한 객잔은 마땅치 않았
을 것이다. 그러니 새롭게 장소를 바꾸는 것까지는 이해
할 수 있었다.

하지만…….

'아무리 그렇다고 굳이 그곳을 찾아가 우리의 모습을
드러낼 필요는 없을 텐데…….'

담우천은 이해가 가지 않는다는 표정을 지으면서도, 이
내 새 울음소리가 지정한 장소를 향해 허공에서 방향을
크게 선회하기 시작했다.

10장.
공적삼마(公賊三魔)

"흠, 좋아."
잠시 생각하던 위천옥은 자리에서 벌떡 일어나며 물었다.
"그럼 전력으로 싸울까? 아니면 봐주면서 싸울까?"

1. 무소불위(無所不爲)

"오랜만이지요?"

"그렇소. 확실히 오랜만이오. 벌써 사 년 정도 되었던
가, 마지막으로 소공자를 본 것이?"

"호오, 양 형은 그렇게나 오래 되었소? 나는 이 년 전
이 마지막이었던 것 같은데."

"그렇소? 뭐, 소공자에게 신경 쓸 정도로 황궁에서 한
가하게 지내지 않았으니까. 이번 만남도 마침 내가 이곳
서안(西安)에서 일을 보는 와중에 소공자가 서안에 와서
성사된 게 아니오?"

"흠. 양 형의 말을 들어 보면 왠지 모르게 소공자를 싫

어한다는 감정이 느껴지는구려."

"응? 당연하지 않소? 자신을 돌보고 시중을 드는 하인들을 아무렇게나 죽이고, 심지어 무공을 가르치는 교두들과 수하들까지 죽이거나 부상을 입히지 않았소? 그런 살인마를 누가 좋아할 수 있겠소? 아무리 전략적으로 키우는 괴물이라 할지라도 나는 절대로 그런 성격을 지닌 아이를 좋아할 수 없소."

"호오, 양 형에게 그런 정도(正道)의 개념이 있는 줄 미처 몰랐네."

"그건 정도나 마도(魔道)의 개념과는 전혀 다른 문제인 것 같구려. 아무리 사마외도의 인물이라 하더라도 자신의 가족과 수하와 하인들은 챙길 줄 알고, 그들의 목숨이 소중하다는 건 알아야 하오. 적을 상대할 때는 한없이 냉정하고 잔악하고 살기 넘쳐도 상관없지만, 내 편을 상대할 때까지 그런 건 정말 살인에 미친 괴물에 불과할 따름일 뿐이오."

"그건 나도 양 형의 말에 동의하오. 수하들에게 존경을 받지 못하고 가족들에게 신뢰를 얻지 못하는 이가 어찌 대사(大事)를 치를 수 있겠소?"

"으음. 뭐, 소공자의 타고난 잔악함이야 늘 우리를 괴롭히고 고민하게 만들던 부분이었으니 따로 이야기할 것도 없을 것이오. 하지만 어쩌겠소? 이미 소공자는 우리의 훈육이 먹히지 않을 정도로 컸고, 또 실력도 그만큼 강해졌는데."

"그렇다고 마냥 함부로 날뛰도록 가만 놔둘 수는 없지 않겠소? 우리가 아니면 그 미친 망아지를 누가 온순하게 만들 수 있겠소?"

"양 형, 양 형이 소공자를 마지막으로 본 게 사 년 전이라고 했지?"

"그랬지."

"그리고 사 년 동안 소공자가 얼마나 성장했는지도 전혀 모르고."

"소공자, 아니 그 괴물이 사고를 친 이야기는 종종 전해 들었소. 심지어 지저갱을 탈옥했던 화염천마 구겸과 음양쌍괴까지 모두 죽인 이야기도 익히 들어 알고 있소."

그렇게 말하는 노인은 단단한 근육질의 몸매에 광물질의 눈빛, 그리고 윤기가 흐르는 흑발을 지니고 있었다.

누가 보더라도 일흔 살이 훌쩍 넘은 노인이라고는 전혀 상상조차 할 수 없는 외모의 이 노인이 바로 철혈권마(鐵血拳魔) 양노백(梁努伯)이었다.

양노백의 전신은 마치 눈이 멀 정도로 부신 광채가 에워싸고 있는 것만 같았다. 신(神)을 벨 정도로 예리한 기세의 눈빛이 그의 두 눈에서 뿜어져 나왔으며, 만인을 압도하는 박력과 파괴력이 담긴 목소리를 지녔다.

그야말로 세상 모든 걸 파괴하고 분쇄할 것만 같은 압도적인 기세를 뿜어내는 노인이었다.

철혈권마는 원래 신분을 위장하여 황궁의 무집사(武集社)라는 무력 조직을 이끌다가, 황궁연쇄살인 사건에 휘말려 자리를 잃은 뒤 현재는 동창과 금의위들의 무공 교두 노릇을 하고 있었다.

철혈권마는 우렁우렁한 목소리로 말했다.

"이번에 굳이 시간을 내서 자리를 만든 것 역시 그 괴물에게 따끔한 맛을 보여 주기 위함이었소. 듣기로는 그가 이미 갈 형의 무위를 뛰어넘었다고 하던데 그게 사실이오?"

"허허허. 이것 참, 정말 부끄러운 일이오. 분명 내 입으로 그리 말한 적이 있기는 하오."

그렇게 말하며 처연하게 웃는 자는 강퍅해 보이는 얼굴에 새파란 귀기(鬼氣)까지 맴도는 눈빛의 노인이었다.

머리카락은 회색에 가까운 백발이었고, 균열된 금처럼 그어진 주름살들이 얼굴 피부 깊숙하게 새겨져 있었다.

한밤중에 만났더라면 유령이나 귀신으로 착각하고 심장마비를 일으킬 정도로 기괴하고 무서운 형상의 노인, 바로 그가 유령마교(幽靈魔敎)의 교주이자, 공적십이마 중의 한 명인 유령신마(幽靈神魔) 갈천노(葛擅瑙)였다.

흑포(黑袍)를 상복처럼 걸치고 있는 유령신마 갈천노는

오랜 세월 동안 소공자 위천옥을 맡아서 그를 키우고 단련시켰다. 그러니 위천옥이 지금의 모습으로 성장할 수 있게 된 모든 이유가 바로 그에게 있다 할 수 있었다.

유령신마는 어린 소공자에게 온갖 약재와 영약을 먹이며 내공을 높이고 신체를 변화시켰다. 또한 공적십이마들의 절정무공을 가르쳤고, 틈틈이 납치한 정파의 기인들과 싸우게 하여 충분한 실전 경험을 쌓도록 해 주었다.

하지만 그게 독이 되었을까.

위천옥은 무공이 강해지고 내공이 증진될수록 더욱 잔인해지고 흉포해졌다.

물론 그가 하인을 죽이고 수하를 다치게 할 때마다 유령신마는 따끔하게 혼을 내 주었지만, 그것도 위천옥의 무공이 절정에 이르게 되자 먹히지 않았다.

어느새 위천옥은 유령신마의 모든 공격을 피하고 외려 역습을 펼치며 그를 압박하기 시작했던 것이다.

"그래, 그 소공자라는 괴물과 직접 싸워 패하였소?"

철혈권마 양노백이 두 눈을 부릅뜨며 물었다.

함께 탁자에 둘러앉아서 잠자코 술을 마시던 다른 노인도 그 질문에 흥미가 생긴 듯 유령신마 갈천노를 돌아보았다.

"직접 싸워서 패하지는 않았소."

유령신마의 대답에 철혈권마가 의아하다는 표정을 지

으며 재차 물었다.

"그럼 왜 이미 갈 형의 경지를 뛰어넘었다고까지 말씀하셨소?"

"그게…… 허어!"

유령신마는 잠시 망설이다가 탄식하며 입을 열었다.

"다들 산동(山東)의 패왕(覇王)으로 군림하고 있는 천궁팔부(天宮八府)라는 세력에 대해서 잘 알고 있을 것이오. 재미있게도 여덟 명의 부주(府主)가 있어서 각자 권력을 나눠 갖고 있다고는 하지만 어디까지나 진정한 주인은 열혈태세(熱血太歲)라는 자라 할 수 있는 곳이오."

"으음, 열혈태세라면 나도 잘 알고 있소. 나름대로 괜찮은 수준의 실력을 지닌 인물이오."

"그렇소. 이 년 전이었던가, 우연히 그자를 납치하여 소공자와 싸우게 한 적이 있었소. 소공자에게 이기면 풀어 주겠다는 약속을 하고 말이오."

"호오, 그런 일이 있었소?"

철혈권마는 물론 다른 노인도 처음 들어 본다는 표정을 지었다. 유령신마는 담담하게 말을 이어 나갔다.

"열혈태세는 전력을 다해 소공자에게 덤벼들었소. 내게 패배해서 납치당한 좌절감을 어떻게든 만회하려는 듯, 소공자에게 모든 내공을 쏟아부었소. 하지만 불과 오초 만에 소공자는 열혈태세를 쓰러뜨렸소. 그러고는 내게 이렇게 묻더이다. '할아버지는 몇 초에 이자를 이겼어?'라고 말이오."

"오 초 만에?"

"으음, 믿을 수 없구려. 그래도 산동의 패자라 불리는 열혈태세가 불과 오 초 만에 제압당하다니."

철혈권마와 다른 노인의 눈이 불신과 경악의 빛으로 일렁이는 가운데, 유령신마 갈천노는 고개를 설레설레 흔들며 말했다.

"삼 초라고 대답했더니 소공자는 진심으로 분하다는 표정을 짓더니 곧바로 열혈태세를 갈기갈기 찢어 버리더구려. 그리고는 피투성이가 된 얼굴로 씨익 웃으며 내게 다시 말을 건넸소. '다음에는 할아버지와 한번 싸울래'라고 말이오."

유령신마는 그때 그 광경이 떠오른 듯 길게 한숨을 토해 내고는 얼른 술잔을 들어 입에 털어 넣었다. 다시 술을 따르는 그의 손이 미세하게나마 경련을 일으키고 있었다.

침중한 표정으로 이야기를 듣던 철혈권마는 문득 고개를 갸웃거리며 물었다.

"하지만 갈 형이 삼 초 만에 열혈태세를 제압했다면 아직도 소공자보다 강한 게 아니오?"

"허허허."

유령신마는 힘없이 웃으며 말했다.

"당연히 거짓말을 한 것이오. 실상은 십 초 만에 열혈 태세를 제압했었으니까."

"으음."

노인들의 입에서 낮은 신음이 흘러나왔다.

철혈권마는 표정이 딱딱하게 굳어졌다. 또 다른 노인, 그러니까 역시 공적십이마 중 한 명이자 검(劍)에 관한 한 세상에서 가장 고강한 세 명 중 한 명인 무상검마(無上劍魔) 척전광(拓塡廣)이 차분한 어조로 말했다.

"그야 갈 형은 어디까지나 열혈태세를 제압, 납치하기 위해서 살기를 거둬들이고 싸웠기 때문이 아니오? 만약 소공자 또한 그를 제압하고자 하는 목적으로 싸웠다면 아무래도 오 초는 무리였을 것이오."

무상검마는 다른 두 명, 철혈권마나 유령신마와는 달리 평범해 보이는 외모에 평범하게 나이 든 노인이었다.

그의 눈빛은 매섭지 않았으며 풍기는 기세도 거의 느껴지지 않았다.

검버섯 듬성듬성 피어난 그의 얼굴을 가만히 보고 있자면, 햇볕 좋은 안마당 마루에 앉아서 고개를 까닥이며 조는 촌로(村老)의 모습이 절로 떠오를 정도로 한가롭고 느긋하게 느껴졌다.

무상검마의 말에 유령신마는 고개를 끄덕이며 대구했다.

"물론 그런 영향도 없지 않을 것이오. 확실히 손속에 살기를 두느냐, 거둬들이느냐에 따라서 승패는 보다 일찍 갈라질 테니까 말이오."

유령신마는 잠시 생각하다가 말을 이었다.

"하지만 반대로 만약 내가 손속에 정을 두지 않고 열혈태세와 전력으로 싸웠더라면 과연 오 초 이내에 열혈태세를 해치웠을까 하는 부분도 확실히 의문이오. 이미 한번 손속을 겨룬 바 있는 열혈태세였기에 그가 얼마나 강한지 잘 알고 있었고, 그렇게 강한 자를 과연 오 초 안에 이길 수 있느냐 하고 묻는다면…… 아직도 쉽지 않다는 생각이 드오."

만약 열혈태세가 살아서 지금의 대화를 듣는다면 울화통이 터져서 죽을 수도 있었다.

그러나 이 세 노인의 대화는 진심이었다.

무림의 절정고수이자 각 지역의 패주 이상의 실력을 지닌 거물들이라 해도 그들에게 오 초 이상을 버틸 수 있는 자들은 거의 없었으니까.

"어쨌든 그 후로는 소공자와 손을 섞어 보지 않았소. 만에 하나 소공자에게 지기라도 한다면 더 이상 그 아이를 제어할 방법이 사라지니까. 그나마 소공자가 아직도 자신이 상대하기 힘들고 어려운 사람들이 있다고 생각해야만 하니까."

유령신마는 그 흉흉한 외모와는 전혀 다르게 푹 가라앉은 목소리로 말을 이어 나갔다.

"만약 소공자가 우리보다 강하다는 사실을 알게 되어서 그 마지막 제어의 끈이 끊어지게 된다면, 소공자는 그 야말로 무소불위의 괴물이 되고 말 것이오."

"갈 형의 그런 말을 듣고 있자니 더더욱 가만히 있을 수가 없을 것 같구려."

철혈권마가 눈빛을 빛내며 말했다.

"아무래도 내가 직접 나서서 그 괴물 같은 아이에게 하늘이 높고 바다가 넓다는 걸 똑똑히 가르쳐 줘야 할 것 같소."

"허어."

유령신마는 가볍게 탄식했지만 철혈권마를 말리지 않았다. 아니, 말릴 수가 없었다. 그저 유령신마는 씁쓸한 미소를 지으며 철혈권마의 확고한 의지가 담긴 눈빛을 바라볼 따름이었다.

그때였다.

문밖에서 나지막한 목소리가 들려왔다.

"소공자께서 도착하셨습니다."

세 노인의 눈빛이 파르르 떨리는 순간이었다.

2. 그 계집의 얼굴

"와아, 오랜만이네."

위천옥은 활짝 웃으며 말했다.

"갈 할아버지도 오랜만이고, 양 할아버지는 더 오래간
만이고, 척 할아버지도 정말 오래간만이지?"

그는 천하의 공적삼마(公賊三魔)에게 스스럼없이 말을
놓으며 킥킥 웃었다.

"다들 벌써 죽었을 거라고 생각했는데 꽤 오래들 사시
네. 정말 질긴 목숨들이라니까."

위천옥은 의자 깊숙하게 앉은 채 꼰 발을 건들거리며
농을 던졌다.

농담을 하는 거야 위천옥의 자유겠지만, 문제는 농을
받은 세 노인의 얼굴이 그리 편치 않다는 것에 있었다.

위천옥을 따라서 대청에 들어선, 하지만 문 입구에 공
손히 시립해 있는 흑노의 얼굴은 사색이 되어 있었다.

"응? 안 반가워? 나는 진짜 반가워 죽겠는데."

위천옥의 말에 유령신마가 헛기침하며 입을 열었다.

"그래, 지난 이 년간 강호를 돌아다니면서 뭔가 배우거
나 깨우친 거라도 있느냐?"

"응. 많아."

위천옥은 여전히 활짝 웃으며 말했다.

"우선 강호의 고수들이라는 게 다 삼류에 불과하다는 사실을 알게 되었어. 나름대로 각 지방의 패자라고 하는 자들이나 아니면 절정 고수라고 알려진 자들, 금강천존이라든가 심지어 구파일방급에 해당하는 문파의 장문인 할 것 없이 모두 삼류에 불과하더라고."

유령신마의 눈이 커졌다.

"구파일방급에 해당하는 문파의 장문인이라니?"

"공동파? 뭐 그런 문파의 장문인이었어. 그렇지, 흑노?"

위천옥의 갑작스러운 질문에, 문 옆에 시립해 있던 흑노가 황급히 고개를 숙이며 대답했다.

"맞습니다. 공동파의 장문인이었습니다."

"그래, 공동파의 장문인. 그 장문인이라는 작자가 두 늙은이랑 합세해서 덤볐거든, 내게. 그런데도 오 초도 못 버텼다고. 아무래도 갈 할아버지가 내게 말해 줬던 거 다 허풍인 거 같아. 후환이 있을 수 있으니 오대가문이나 구파일방 사람들과는 절대 싸우지 말라고 했잖아?"

위천옥은 어깨를 으쓱거리며 말했다.

"하지만 이 년 동안 강호를 돌아다니면서 보니까, 걔네들 나 혼자서도 충분히 해치울 수 있을 것 같더라니까."

유령신마는 애써 침착함을 유지하며 입을 열었다.

"공동파 장문인과는 언제 싸운 게냐?"

"이곳으로 오는 도중이었으니까…… 한 열흘 전? 보름 전? 그 정도 되었지, 아마?"

"공동파의 추격은 없었고?"

"추격은 무슨. 다들 얼어붙어서 꼼짝하지 못하더라고. 만약 그때 자신들 주제도 모르고 덤벼들었으면 다들 죽었을 거야. 하지만 그래도 주제 파악은 할 줄 알더라고. 하하하."

소년의 웃음소리는 해맑기 그지없었다.

하지만 유령신마에게는 더없이 잔인하고 사악하기 그지없게 들렸다. 유령신마는 살짝 눈살을 찌푸리며 재차 물었다.

"그럼 금강천존은?"

"아, 그 늙은이는 진짜 소문난 잔치에 먹을 거 없는 꼴이었어. 그 늙은이의 내공이 어마어마하다는 소리를 들은 것 같았는데 내 중수법(重手法)에 일 초도 버티지 못하고 그 자리에서 죽었거든. 정말 한숨이 나올 지경이었다고."

'허어, 천하의 금강천존이 일 초도 버티지 못했다고?'

유령신마가 속으로 혀를 차는 가운데 소년은 계속해서 말을 이어 나갔다.

"참, 금강천존을 해치웠던 성도부에서 오대가문 중 하나인 철목가 가주와 마주칠 뻔했어. 과연 그 작자는 진짜로 강한 인물인지 한번 싸워 볼까 했는데 아쉽게도 나보다 먼저 손을 쓴 자들이 있더라고."

"응? 그게 무슨 말이냐?"

잠자코 듣고 있던 철혈권마가 살짝 놀란 목소리로 물었다. 위천옥은 싱긋 웃으며 말했다.

"무슨 소리이기는. 나보다 한발 앞서서 철목가 가주를 해치웠다는 이야기지."

"응? 정극신이 죽었다고?"

"어라? 아직도 모르고 있었어?"

위천옥은 놀란 눈으로 세 노인을 둘러보았다. 철혈권마는 물론 무상검마, 유령신마 모두 처음 들어 본다는 눈치였다.

위천옥이 피식 웃으며 입을 열었다.

"쯧쯧. 이렇게들 정보가 늦어서야…… 정극신이라고 했지? 그 작자가 죽은 지 거의 한 달이 되어 가는데, 아직도 그런 정보를 듣지 못한 거야? 아! 이상하네? 허 노인네가 갈 할아버지의 직속 수하잖아? 왜 할아버지에게 연락을 취하지 않았을까?"

"으음."

유령신마는 입술을 깨물었다.

그에게로 전해지는 모든 보고는 허 노야, 유령신마교의 허 봉공을 통해서 이뤄지고 있었다.

그런데 한 달 전 철목가주 정극신이 죽었다는 사실이 여태 유령신마에게 전해지지 않은 건 그 보고 체계가 무너졌다는 의미가 될 수 있었다.

'일부러 보고를 하지 않은 걸까?'

유령신마의 뇌리에 그런 의문이 떠올랐다.

하지만 왜? 정극신이 살해당했다는 사실을 굳이 숨기거나 보고하지 않을 이유가 어디 있을까?

'나중에 차차 생각하기로 하고.'

유령신마는 재빨리 정신을 차리고 위천옥에게 물었다.

"그 정극신을 죽였다는 자들이 누구지?"

"무림오적이라고 황계에서 키우는 살인 병기들 있잖아? 걔네들이 죽였대."

"무림오적?"

"으음, 그 아이들이 벌써 정극신을 죽일 정도로 성장했다는 겐가?"

노인들이 침음성을 흘리며 중얼거렸다.

"그래서 나도 한번 만나 보고 싶었어. 얼마나 성장했는지, 얼마나 강해졌는지 직접 겨뤄 보고 싶었거든. 하지만 시간도 맞지 않고 또 이런저런 일들이 있어서 결국 나중으로 미뤘지. 그게 다 할아버지들 만나기로 한 약속 때문이라고."

위천옥이 투덜거리듯 말했다.

유령신마는 그의 이야기를 듣지 못한 듯 고개를 끄덕이며 중얼거렸다.

"그렇지. 무림오적 중에는 담우천이라는 아이가 있으니까, 그 아이의 실력이라면 어느 정도 가능할 법한 이야기로군."

"아, 담우천?"

철혈권마가 유령신마의 말을 받았다.

"무적가주 제갈보국과 제갈원을 해치웠다는 친구로군. 과거에 사선행자의 수좌였다던."

"와아, 그럼 그 담우천이라는 자가 오대가문의 가주를 둘이나 해치운 거야?"

위천옥이 눈빛을 반짝이며 감탄했다.

"아쉽네. 성도부에 있었을 때 한번 붙어 봤어야 하는데. 그자를 죽이면 내가 오대가문 가주들보다 몇 배는 더 강하다는 게 증명이 되었을 텐데 말이지."

"두 가주를 해치웠다고 해서 그리 대단한 건 아니다."

철혈권마가 불퉁스럽게 말했다.

"무적가주야 오랫동안 병들어 있었고, 소가주라는 녀석은 제 아비 실력의 반도 되지 못했다. 그리고 무엇보다 강만리라는 녀석의 도움이 없었더라면 그마저도 해치우지 못했을 것이다. 음, 이번에 정극신을 해치운 것 역시 강만리의 공이 꽤 컸을 것이다."

"헤에. 강만리라는 자가 그리 대단해? 나만큼?"

위천옥의 도전적인 말투에 철혈권마는 눈살을 찌푸리며 대답했다.

"강만리의 대단함은 무공에 있는 게 아니라 그 누구도 따를 수 없는 두뇌 회전에 있지. 녀석이 한 번 손을 대면 풀지 못하는 난제(難題)가 없고, 녀석이 한 번 세우면 성공하지 못하는 계획이 없지."

"와아! 이건 마치 제갈량 같네. 그럼 담우천은 죽이고 강만리는 내 책사로 삼으면 되겠다. 아니, 담우천도 죽이기는 아깝지. 죽을 만큼 팬 다음에 굴복시켜서 내 충복으로 삼는 게 낫기는 할 것 같네. 저 머저리 같은 흑노보다는 백 배 나을 테니까."

위천옥의 말에 유령신마가 눈살을 찌푸리며 속으로 혀를 찼다.

'쯧쯧. 정말이지, 저놈의 심성은 어찌할 수 없는 건가? 생긴 건 꼭 기생오라비처럼 생겨 가지고……'

속으로 중얼거리던 유령신마는 문득 고개를 갸웃거렸다.

'어라? 그러고 보니 왠지 누굴 닮은 것 같은데?'

위천옥과 헤어진 지 이 년이 흘렀다. 그동안 그저 어린 꼬마에 불과했던 녀석은 이제 어느덧 청년으로 볼 수 있을 만큼 훌쩍 자라 있었다.

잘생긴 외모는 뭇 여인들의 방심(芳心)을 흔들기에 충

분했고, 탄탄한 근육질의 훤칠한 몸매는 뭇 사내들의 부러움을 사기에 충분했다.

유령신마는 잠시 위천옥의 잘생긴 얼굴을 뚫어지게 바라보다가 문득 눈을 크게 떴다.

'어라?'

위천옥의 얼굴을 자세히 들여다보고 있자니 한 명의 얼굴이 떠오른 것이다.

'이상하군. 어렸을 적에는 몰랐는데…… 지금 보니 진짜 그 계집을 닮은 것처럼 느껴지는군그래.'

설마 그 계집과 관련이 있는 걸까? 그 계집의 먼 친척이라든가 혹은…….

유령신마의 얼굴이 심각해졌다.

십여 년 전 코흘리개 어린 꼬마를 데리고 왔던 허 봉공에 따르자면 위천옥은 친인척 하나 없는 고아라고 했다. 이미 주변 모든 인적 사항에 대해서 조사를 끝냈기 때문에 아무런 걱정할 필요가 없다고 말했다.

그런데 왜 위천옥을 보고 있자면 그때 그 계집의 얼굴이 떠오르는 것일까.

'가만있자. 그 계집을 내쫓았던 게 언제였더라?'

너무 오래된 일이라 기억이 가물가물했다.

3. 봐주면서 싸울까?

그것은 이십 년은 훌쩍 넘고, 삼십 년은 아직 안 된 예전의 일이었다.

유령신마 갈천노에게는 갈인상(葛仁翔)이라는 장성한 아들이 있었는데, 공교롭게도 그 아들은 정파의 여식과 사랑에 빠지게 되었다.

유령신마는 크게 노하여 그 정파의 여식과 헤어지지 않는다면 부자지간의 연을 끊겠다고 말했다.

하지만 사랑에 빠진 갈인상은 모든 것을 버렸다. 부자간의 인연을 끊고 가문을 버렸으며, 유령신마교의 모든 걸 내찼다.

그는 사랑하는 여인과 바다 건너 해남도(海南島)까지 도망쳤고, 그곳에서 십여 년간 행복하게 살았다.

금룡회의 허 노야가 그들을 찾아내기 전까지는.

물론 그 일은 허 노야 단독으로 벌인 행동이었고 유령신마는 까마득하게 모르고 있었다.

그런 까닭에 허 노야가 해남도에서 갈인상과 그의 여인을 죽인 후 쌍둥이를 데리고 왔다는 사실도 알지 못했으며, 그중 한 명이 지금 자신의 눈앞에 앉아 있다는 것도 전혀 몰랐다.

하지만 유령신마는 오래간만에 본 위천옥이 자신의 며

느리가 될 뻔한 계집과 매우 닮았다고 생각했다. 그리고 과거 다른 공적십이마도 있는 자리에서 왜 굳이 위천옥을 자신이 맡아서 키우겠다고 했는지도 생각했다.

'저 아이의 기재가 탐나서?'

물론 그런 면도 없지는 않았다.

당시 노마(老魔)들은 어린 위천옥을 보자마자 소년의 무한한 잠재력을 알아차리고 다들 흥분했으니까. 제대로만 키운다면 태극천맹을 괴멸시킬 마도(魔道)의 영웅이 될 것 같았으니까.

하지만 그게 전부는 아니었다. 교두라면 유령신마보다 훨씬 더 뛰어난 소질을 지닌 노마들이 많았다. 혈천노군도 그렇고 철혈권마도 그랬다. 그들은 수많은 제자들을 키워 낸 경험이 있었다.

반면 유령신마는 위천옥이 첫 번째 제자라고 할 수 있었다. 그럼에도 불구하고 유령신마가 굳이 나서서 위천옥을 키우겠다고 한 이유는…….

유령신마는 기억을 더듬었다. 당시 상황을 떠올리면서 당시 느꼈던 기분을 되살리고자 했다. 처음 그 꼬마를 보았을 때 가졌던 감정이 어떠했는지 다시 한번 느껴 보고자 했다.

그러자 희미하고 흐릿하지만 그때의 감정이 되살아나는 듯했다. 아이를 본 순간 유령신마가 느꼈던, 그 쿵! 하는 충격과 애틋한 감정이 새록새록 피어올랐다.

이성과 논리를 뛰어넘은 본능에 가까운 감정.

끊으려야 끊을 수 없는 인연의 고리.

저 혈관 깊숙한 곳에 숨어 있는 자신의 핏줄에 대한 갈구.

일순 유령신마의 얼굴이 딱딱하게 굳어졌다.

'설마…… 그럴 리가 있으려고.'

유령신마는 내심 고개를 홰홰 내저었다.

그럴 리가 없었다.

그는 방금 머릿속에 떠오른 생각 하나를 떨쳐 내려고 애를 썼다. 그것은 논리도 전혀 없고 증거도 하나 없는 망상에 가까운 생각이었다.

'저 아이가 내 핏줄일지도 모른다니, 도대체 지금 무슨 생각을 하고 있는 거지?'

유령신마는 어이가 없다는 표정을 지으며 속으로 투덜거렸다.

만약 저 아이가 유령신마의 핏줄이라면, 유령신마의 아들인 갈인상의 자식이어야 했다.

갈인상은 이미 유령신마와 연은 끊고 잠적한 상태, 그의 자식을 데리고 오려면 누군가 그 행적을 추적해서 갈인상을 설득하거나 혹은 죽여야만 가능한 일이었다.

그게 가능한 인물은 유령신마가 아는 한 오직 한 명,

허 봉공뿐이었다.

하지만 허 봉공이 유령신마의 눈을 속이고 그에게 보고하지도 않은 채 아무도 몰래 그런 일을 처리할 리가 없었다.

설령 그렇게 숨어서 일을 처리했다손 치더라도 그 결과에 대해서, 그러니까 위천옥이 유령신마의 손자라는 사실까지 숨길 이유는 전혀 없었다.

'하지만……'

그렇게 생각하고 무작정 신뢰를 주기에는 허 봉공에게는 철목가주 정극신의 죽음에 대해서 보고하지 않은 전과가 있었다.

어쩌면 허 봉공에게 유령신마교의 모든 걸 맡긴 게 잘못이었을까. 어쩌면 허 봉공에게 또 다른 야망과 야욕이 생긴 건 아닐까.

의심암귀(疑心暗鬼)라고 했던가. 한 번 의심이 들자 좀처럼 가라앉지 않았다.

'아무래도 한번 허 봉공을 만나 봐야겠구나.'

유령신마가 속으로 그렇게 생각하고 있을 때, 위천옥은 그의 시선을 느꼈는지 피식 웃으며 말했다.

"왜? 오래간만에 보니까 내 얼굴이 낯설어?"

"아니, 낯선 게 아니라 너무 낯익어서 그런다."

"당연하지. 갈 할아버지가 날 키워 준 게 몇 년인데. 당연히 낯익을 수밖에."

'아니, 그런 낯익음이 아니란다.'

유령신마가 속으로 중얼거릴 때였다. 철혈권마가 불쑥
입을 열었다.

"가만 듣고 있자니 네 녀석은 자신의 무공에 상당히 자
신이 있는 모양이로구나."

"당연하지."

위천옥이 환하게 웃으며 말했다.

"강호에서 만나 죽인 고수들 중 누구 하나 내 몸에 손
을 댄 자가 없었거든. 내 입으로 말하기는 조금 쑥스럽지
만 아마 천하제일이 아닐까 싶어."

"허허허."

철혈권마는 어처구니가 없다는 듯이 웃었다. 그러고는
이내 강철같이 빛나는 눈빛으로 위천옥을 쏘아보며 말했
다.

"그럼 과연 천하제일인지 아닌지 이 할아비와 한번 비
무해 보자꾸나."

"왜? 양 할아버지를 이기면 천하제일이라고 할 수 있
어?"

"물론 날 이긴다고 해서 천하제일인이라고 확정 지을
수는 없겠지만, 그래도 거기에 거의 근접할 수는 있을 게
다."

"흠, 좋아."

잠시 생각하던 위천옥은 자리에서 벌떡 일어나며 물었다.

"그럼 전력으로 싸울까? 아니면 봐주면서 싸울까?"

철혈권마의 얼굴이 일그러졌다.

* * *

유령신마가 말릴 새도 없었다.

위천옥이 먼저 대청 중앙으로 뛰어나가고 그 뒤를 따라 철혈권마가 나섰다. 위천옥은 정중하게 포권의 예를 취했고 철혈권마는 고개를 끄덕였다.

그것으로 비무는 시작되었다.

"그럼 전력을 다할게!"

위천옥은 소리치며 철혈권마의 품으로 뛰어들었다. 동시에 그의 두 주먹이 철혈권마의 얼굴과 복부를 쉴 새 없이 강타했다.

놀랍게도 위천옥의 두 주먹은 어느새 푸른빛의 강기(罡氣)로 뒤덮여 있었는데, 눈에 보이지 않을 정도로 빠르게 휘두르는 까닭에 푸른빛의 섬영(閃影)만이 공간 가득 잔상을 남기고 있었다.

"대단하구나! 청강마수(靑罡魔手)에다가 백팔섬영권

(百八閃影拳)이라니……."

지켜보고 있던 유령신마가 감탄하듯 중얼거렸다.

"두 신공 모두 십 성의 완벽한 경지까지 익혔군그래."

청강마수는 마도의 전대 기인이었던 청강마존(靑罡魔
尊)의 성명절기(盛名絶技)로, 천 근 바위를 부수고 한 자
쇠를 우그러뜨리며 아름드리나무에 구멍을 뚫는 위력을
지닌 마공(魔功)이었다.

반면 백팔섬영권은 정파의 전대 고수였던 섬영자(閃影
子)의 절기로, 단 한번의 호흡에 백팔 번의 권격을 가하
는 쾌권(快拳)으로 유명한 신공(神功)이었다.

지금 위천옥은 그 서로 다른 성질의 마공과 신공을 한
데 섞어서, 조금의 위화감이나 어색함이 없이 완벽한 조
화를 이룬 채 자유자재로 펼치고 있었다.

하지만 철혈권마는 당황하지 않았다.

"좋은 수법이다."

철혈권마는 마치 손자의 성장에 감탄하는 할아버지처
럼 위천옥을 칭찬하는 동시에, 두 손을 번갈아 움직이며
위천옥의 벼락처럼 쏟아지는 주먹을 막고 밀어내고 흘려
보냈다.

그건 마치 절정의 기량을 가진 무당파 기인이 펼치는
도가의 움직임과 그 궤를 같이하고 있었다. 이미 철혈권
마는 '극(極)과 극(極)은 서로 통한다'라는 경지에 올라 있

었던 것이다.

"역시 양 할아버지네! 그래, 이 정도는 되어야 싸울 맛이 나지!"

순간적으로 백여 차례의 공격을 퍼부었지만 단 한 차례도 명중시키지 못한 위천옥이 쾌활하게 소리쳤다.

하지만 그의 눈에는 살기가 맴돌았으며, 그의 투기는 시커멓게 전신을 에워싸고 있었다.

위천옥은 가볍게 뒤로 물러나 호흡을 가다듬은 다음, 다시 철혈권마의 품 안으로 뛰어들었다. 순간 철혈권마가 기다렸다는 듯이 주먹을 뻗었다.

단 한 번의 주먹질!

하지만 그건 일격이 아니었다. 너무나도 빠르게 수십 발의 주먹이 연환포(連環砲)처럼 쏘아진 까닭에, 그저 단 한 번의 주먹질처럼 보였을 따름이었다.

위천옥은 단지 어깨만을 움직여서 그 벼락처럼 쏟아지는 수십 발의 주먹을 모조리 피하며 앞으로 전진했다. 철혈권마의 눈에 처음으로 당혹의 빛이 스며드는 순간이었다.

위천옥이 쌍장을 펼쳐서 그대로 철혈권마의 가슴을 밀었다. 철혈권마는 공세를 거두고 황급히 두 손으로 위천옥의 손목을 잡아 비틀었다.

위천옥의 손목은 쇠로 만들어진 것처럼 단단해서 비틀

리지도 꺾이지도 않은 채, 그대로 철혈권마의 가슴을 때려 갈겼다.

철혈권마는 양손으로 위천옥의 손목을 잡은 채 뒤로 나자빠지듯 몸을 젖혔다.

위천옥의 쌍장이 허공을 스쳐 가는 가운데, 철혈권마의 무릎이 위천옥의 가랑이 사이를 찍어 갔다. 그대로 위천옥의 낭심이 박살 날 것만 같았다.

하지만 다음 순간!

"어엇!"

철혈권마는 저도 모르게 깜짝 놀라 소리쳤다. 철혈권마에게 손목을 잡힌 위천옥이 역으로 그의 손목을 잡으며 크게 팔을 휘저었던 것이다.

그 기세를 이기지 못한 철혈권마의 신형이 그대로 방향을 잃고 허공으로 솟구쳤다.

마치 건장한 어른이 세 살배기 어린아이의 손목을 잡고 허공으로 내던진 것처럼 위천옥보다 두 배는 큼직한 철혈권마의 거대한 체구가 속절없이 허공 높이 솟구친 것이다.

"죽어라!"

위천옥은 크게 소리치며 허공 높이 쳐들었던 철혈권마를 그대로 바닥에 패대기쳤다.

철혈권마는 황급히 위천옥의 손목을 놓으며 빠져나가

려 했지만, 위천옥의 손은 쇠고리처럼 단단하게 그의 손
목을 옥죄고 있었다.

쾅!

요란한 소리와 함께 철혈권마가 얼굴부터 지면에 패대
기 당했다. 그 충격에 돌바닥이 산산조각이 나면서 사방
으로 튀었다.

위천옥은 게서 멈추지 않았다.

그는 다시 철혈권마를 높이 들었다가 돌바닥에 내리치
기를 반복했다.

쾅! 쾅! 퍽! 퍽!

그때마다 요란한 소리가 쉬지 않고 울려 퍼졌다.

천하의 철혈권마가 마치 빨래터의 빨래처럼 털리고 있
었다. 실로 믿을 수 없는 광경이 벌어지고 있는 것이다.

(무림오적 35권에서 계속)